Paule D
Professeur d'histoi

Jean-Franço
Professeur agrégé d'arts plastiques

HISTOIRE
DE LA MUSIQUE

HACHETTE
Éducation

Réalisation et fabrication : Mosaïque

Instructions et programmes

ÉDUCATION ARTISTIQUE

Les enseignements artistiques, en liaison avec les autres disciplines, développent chez l'élève, par les moyens qui leur sont propres, la sensibilité et l'intelligence. Ils lui permettent d'accéder au monde des arts et à la création personnelle. Ils le conduisent progressivement à l'expression et à la communication par les images, les sons, les gestes...

L'éducation artistique comprend non seulement les arts plastiques et l'éducation musicale, mais également un ensemble très riche de domaines en constante évolution : la photographie, le cinéma et, d'une manière générale, l'audiovisuel, le théâtre, l'expression dramatique et la danse, l'architecture et l'urbanisme.

L'élève est confronté à la grande diversité de la production artistique et à partir de la prise de conscience des différences et des similitudes de ces divers modes d'expression, découvre le caractère universel de l'art.

ÉDUCATION MUSICALE

1. NATURE ET OBJECTIFS

L'éducation musicale est à la fois un entraînement du corps et une éducation sensorielle. Elle conduit à la maîtrise de la voix, à la disponibilité motrice, à une sensibilité affinée de l'oreille et à la curiosité active devant toutes les formes de l'activité musicale.

L'éducation musicale est une formation de la sensibilité et du goût. Par le développement des capacités d'attention, de mémorisation et d'analyse, elle favorise l'acquisition du sens critique et du sens esthétique.

L'objectif de l'éducation musicale est d'aider les élèves à se situer dans un univers sonore de plus en plus diversifié et en perpétuelle évolution, de satisfaire et de développer leur besoin d'expression et de communication, de stimuler l'imagination et l'esprit d'invention.

Il s'agit donc de fournir aux élèves des outils et des repères simples au départ, pour leur permettre d'aller eux-mêmes du simple au plus complexe. Cette démarche guidée doit être d'autant plus claire que le domaine exploré est plus riche et plus complexe.

La musique est par essence un art abstrait. Mais c'est aussi un art immédiat. La difficulté de la pédagogie musicale tient à ce paradoxe apparent. L'éducation musicale doit donc combiner ces approches qui appartiennent à deux ordres différents : un ordre de codes et d'analyse et un ordre de perception immédiate et intuitive.

L'activité musicale réelle constitue le point de départ obligé pour toute acquisition d'ordre sensoriel, sensible ou cognitif ; il importe de sentir d'abord, de comprendre ensuite, d'apprendre enfin.

Les activités musicales offrent un terrain privilégié de rencontre entre les disciplines. Tout projet pédagogique élargi à d'autres disciplines offre à l'éducation musicale l'occasion d'atteindre plus sûrement les objectifs qui lui sont assignés.

2. INSTRUCTIONS

L'éducation musicale comprend quatre types d'activités qui doivent se combiner : l'éducation de l'oreille, la pratique et l'étude du langage musical, l'accès à une culture par l'écoute des œuvres, des activités d'invention et de création.

Tout en évitant le découpage arbitraire de chaque heure d'éducation musicale qui ferait une place égale et obligée à toutes ces activités, le professeur doit veiller, à la fois, à l'équilibre, à la variété et à la cohérence de la leçon. La règle pédagogique en la matière est d'éviter le relâchement de l'attention, la saturation et l'ennui.

La conduite de l'enseignement nécessite une progression rigoureuse, une grande exigence dans la conception et la réalisation des exercices comme dans l'acquisition des connaissances, et la prise en compte de la très grande hétérogénéité des niveaux des élèves.

Accès à une culture musicale par l'écoute des œuvres

Le principe de relativité

La culture musicale participe de la culture générale et mêle ses matériaux propres à tout ce qu'apporte aux élèves l'approche des œuvres littéraires et des arts plastiques pour les aider à former leur goût.

L'éducation musicale s'appuie sur les repères historiques et sur des faits de civilisation. Elle met en lumière l'évolution des sensibilités dans le temps et dans l'espace. Elle constitue un apprentissage indirect de la relativité de toute création humaine.

L'interprétation des œuvres dépend des conditions technologiques de chaque époque. L'évolution de la facture des instruments, par ses aspects proprement techniques et par leur influence sur la perception auditive de chaque époque, est un objet d'étude aisément abordable au collège.

Le développement des techniques d'enregistrement et l'industrie du disque et de la cassette marquent forcément la pratique de l'écoute des œuvres au collège. La plupart des élèves possèdent ou peuvent posséder des disques ou des cassettes.

La situation culturelle actuelle

Il importe que l'initiation à la culture musicale donnée par le collège garde une communication directe avec la musique entendue au-dehors et qu'elle réponde à la diversité des attentes et des besoins individuels des élèves.

Le goût individuel des élèves se forme en grande partie au hasard des rencontres, voire de chocs émotifs. Il dépend aussi d'habitudes auditives déjà installées, d'origines variées, et d'un système non maîtrisé d'attractions et de répulsions. L'éducation musicale, qui ne peut rien imposer et ne doit rien exclure, vise à ouvrir d'autres horizons, à créer d'autres rencontres et à donner assez de repères pour inciter les élèves à aller eux-mêmes à la découverte, par prolongement ou par rapprochement.

Il est donc normal que le professeur prenne en considération le répertoire actuel. Le champ est suffisamment vaste pour qu'il y trouve un accord entre les goûts de son temps et ses propres objectifs. Ces références fondamentales comprennent la diffusion ordinaire des disques et des cassettes, les programmes musicaux radiodiffusés et les programmes des concerts et des festivals.

Dans ce domaine, l'éducation musicale a rempli sa mission pour un enfant s'il est capable de choisir une émission radiodiffusée ou un disque hors de la pression de la mode. Il accédera ainsi au premier degré d'une culture personnelle autonome.

Les activités d'écoute, indissociables des activités de pratique musicale, peuvent se voir assigner différents rôles et notamment :
- affiner la perception, faire prendre conscience d'un certain nombre de notions liées au langage musical, à ses composantes, à ses structures, et au matériau sonore ;
- enrichir la perception à partir de référents déjà assimilés, élargir le champ d'investigation au-delà des périodes et des styles trop souvent privilégiés ;
- apprendre à comparer, à dégager les caractéristiques musicales essentielles, à situer les œuvres dans l'espace géographique et dans le temps.

Il est essentiel que les œuvres musicales soient situées dans leur contexte historique, comme les autres productions artistiques. Mais il ne s'agit pas de donner, au collège, un cours d'histoire de la musique.

Les éléments importants de la biographie des grands compositeurs servent de jalons historiques, situent la création musicale parmi d'autres faits de société. Par la touche humaine qu'ils peuvent ajouter à une présentation, ils réduisent la part d'abstraction de toute approche d'une œuvre musicale. Il convient toutefois que le moment d'écoute reste toujours privilégié.

3. PROGRAMMES

Accès à une culture par l'écoute des œuvres

Classes de sixième et de cinquième

Le répertoire musical est utilisé dans toute son étendue et toute sa diversité.

Le choix des œuvres s'opère en fonction d'un certain nombre de notions que les élèves doivent acquérir, parmi lesquelles :
- les notions de monodie, polyphonie, polyrythmie ;
- la notion de thème : nature, fonction, utilisation du thème ;
- la notion de structure : structure élémentaire d'une œuvre (structures binaire, ternaire ; rondo, thème varié, etc.).

Le choix des œuvres permet en outre de faire connaître :
- le matériau sonore et les différentes formations vocales et instrumentales ;
- les familles d'instruments : instruments de l'orchestre symphonique, instruments anciens, instruments traditionnels européens et extra-européens, instruments électro-acoustiques ;
- les formations instrumentales et vocales : orchestre symphonique, formations de chambre, formations de jazz, groupes folkloriques, ensembles vocaux, musique vocale accompagnée.

On propose aux élèves des œuvres dont le matériau mélodique ou rythmique se prête facilement à la mémorisation. On peut tenir leur attention et leur mémoire en éveil par des exercices de reconnaissance d'œuvres déjà entendues ou des exercices de rapprochement entre une œuvre connue et une autre sur un élément commun : rythme, structure mélodique, couleur instrumentale, etc.

Les nombreux points de jonction entre le jazz, les musiques africaines et sud-américaines et la musique occidentale peuvent être abondamment illustrés.

Les échelles musicales orientales donnent une occasion d'ouvrir la curiosité des élèves sur un monde sonore qui se mêle de plus en plus au monde sonore occidental.

Les œuvres sont situées brièvement dans la création du compositeur, dans son temps et dans l'évolution du genre représenté.

Classes de quatrième et de troisième

Approfondissement des notions précédemment acquises, extension à l'étude de formes musicales parmi lesquelles notamment :
- la fugue, la suite, la sonate, la symphonie, le concerto ;
- l'opéra, l'oratorio ;
- la mélodie, le lied ;
- le poème symphonique, le ballet.

D'autres genres pourront être abordés : la chanson, les musiques de films.

Classe de seconde

L'éducation artistique au lycée s'enchaîne à celle du collège et en assure naturellement la continuité. Elle incite à l'expression personnelle et contribue à une formation culturelle élargie. Faisant appel à la fois à la sensibilité et à l'intelligence, elle participe à l'épanouissement de la personne.

Les enseignements artistiques comprennent non seulement les arts plastiques et l'éducation musicale, mais l'ensemble des arts, jusque dans leurs manifestations les plus actuelles : le théâtre, l'expression dramatique et la danse, la photographie, le cinéma, la vidéo et l'audiovisuel, l'architecture et l'urbanisme, la création industrielle.

Au niveau du second cycle se situe la phase essentielle d'une éducation par l'art qui permet à l'élève d'acquérir une culture variée, d'affiner sa perception et son jugement esthétique, de mieux saisir le monde et son environnement dans leurs différents aspects. En relation avec les autres disciplines, les enseignements artistiques visent ce que l'individu, devenu adulte et responsable, soit capable de contribuer activement à la construction d'une société adaptée à l'évolution du monde contemporain.

Comme au collège, l'éducation musicale comporte des activités diversifiées, complémentaires et, par conséquent, indissociables. L'éducation de la voix et de l'oreille, l'étude du langage musical, l'écoute des œuvres, les activités d'invention et de création concourent à la mise en œuvre du programme qui s'organise autour de deux axes essentiels :
- la connaissance historique de l'évolution des genres et des formes ;
- les travaux pratiques.

La période d'histoire de la musique d'une part, les notions relatives à la langue musicale d'autre part, retenues pour la classe de seconde, constituent un point de départ commode pour l'étude formelle, analytique et historique des patrimoines musicaux. Toutefois, le programme ci-après ne revêt aucun caractère limitatif. Il peut en effet être complété, élargi, par les soins du professeur en fonction des capacités des élèves et des besoins qui se font jour. Il convient donc de souligner, notamment en ce qui concerne la connaissance historique de l'évolution musicale, que la comparaison avec d'autres périodes, antérieures ou postérieures à celle que précise le programme, s'avère souhaitable, parfois indispensable, pour mieux cerner l'originalité de telle forme musicale, de tel genre ou de tel compositeur. Le souci d'efficacité doit donc l'emporter sur toute lecture restrictive, aussi bien que démesurément élargie, de ce programme.

La richesse du monde sonore environnant, l'importance et l'influence, à l'heure actuelle, des techniques d'enregistrement et de diffusion, exigent que cet enseignement soit conduit dans un esprit de large ouverture. La capacité des élèves à percevoir, comparer, juger, identifier, ne peut en effet se développer que dans le cadre de répertoires larges et diversifiés dans le temps et dans l'espace.

Connaissance historique de l'évolution musicale

L'étude des différentes périodes, des genres, des formes et des compositeurs doit se fonder sur l'analyse d'œuvres particulièrement significatives : rien d'abstrait ni de livresque mais une orientation constante vers l'audition et l'analyse de la partition. Ce qui n'exclut nullement, dans un second temps, la lecture d'articles de revues spécialisées et notamment celle des écrits des musiciens (Schumann, Berlioz, Wagner, Dukas, Debussy, Milhaud, etc.).

Une première approche de l'œuvre, de caractère global, visera à dégager le genre, le plan général (nombre, allure, disposition et rapport de tonalités des différents mouvements, actes ou épisodes) et la nature du matériau sonore utilisé. Elle sera suivie de l'analyse détaillée de la partition qui portera sur un ou plusieurs passages caractéristiques du genre, de la forme et du style utilisés.

La synthèse de tous les éléments fournis par l'écoute dirigée et l'analyse vivante de la partition mettra l'élève en mesure de mieux pénétrer et comprendre l'œuvre, d'en caractériser le style, de la situer dans l'ensemble de la production de l'auteur et dans l'évolution du genre ou de la forme considérés.

Ce travail approfondi ne pourra s'effectuer qu'à partir d'œuvres en nombre assez limité. Le professeur complétera donc son enseignement par l'audition d'autres œuvres qui permettront de procéder à des rapprochements, des comparaisons et contribueront à élargir le champ des connaissances. Il fera également procéder, selon les possibilités de la classe et les ressources dont il dispose, au déchiffrage vocal ou instrumental d'un certain nombre d'œuvres, de préférence en liaison avec le programme d'histoire de la musique.

Connaissance historique de l'évolution des genres et des formes

Élaboration des grandes formes vocales et instrumentales depuis la fin du XVe siècle jusqu'à la fin du XVIIIe siècle :

- la chanson polyphonique, le motet, la musique dramatique profane et religieuse ;
- la fugue, le prélude, la suite, la sonate, la symphonie, le concerto, l'ouverture.

Classes de premières et classes terminales

Connaissance historique de l'évolution musicale

La participation des élèves doit être constamment sollicitée. On rappellera la nécessité :

- de fonder l'étude de chaque forme sur l'analyse d'une œuvre particulièrement caractéristique. Rien d'abstrait ni de livresque, mais une orientation constante vers l'audition et l'analyse concrète de la partition.

  La connaissance des structures de base de la langue musicale, acquises en seconde, doit conduire à une analyse plus approfondie des passages essentiels de manière à mieux appréhender les mécanismes compositionnels (caractéristiques des thèmes, procédés de développement, articulation entre les différentes parties, plan tonal, etc.) et aboutir éventuellement à une représentation schématique de l'extrait ou du mouvement tout entier.

  La description de la partition, mesure après mesure, page après page, sans recherche de la cohérence du discours musical, est à proscrire ;
- de proposer, dans un esprit de large ouverture, l'écoute active d'œuvres aussi nombreuses que possible de manière à développer la capacité des élèves à identifier, comparer et juger ;
- de compléter ce travail par le déchiffrage vocal ou instrumental de certaines partitions.

Ainsi abordée, la connaissance historique de l'évolution musicale apporte progressivement aux élèves l'autonomie indispensable dans l'analyse et la compréhension des œuvres et des auteurs, quelle que soit l'époque considérée.

Connaissance historique de l'évolution des genres et des formes

• *Classes de premières*

Évolution des genres et des formes depuis la fin du XVIIIe siècle jusqu'au début du XXe siècle : le lied, la mélodie, l'oratorio, le théâtre lyrique (opéra et opéra comique), la suite, la sonate, la symphonie, le concerto, l'ouverture, le poème symphonique, le ballet.

• *Classes terminales*

Révision des éléments essentiels du programme des classes de seconde et de première.

Étude du XXe siècle :

- évolution, prolongement des formes classiques et romantiques ;
- nouveaux langages, nouvelles structures du dodécaphonisme à nos jours ;
- les nouvelles sources sonores.

Avant-propos

Un phénomène marquant du XXᵉ siècle réside dans l'intérêt suscité par les arts. Jadis réservés à une élite, ils deviennent de nos jours un des pôles de la vie collective. Chacun cherche à comprendre et s'intéresse à leur histoire. L'enseignement dans les lycées et collèges répond, par ses programmes, à cette demande. Il ne veut pas former des spécialistes mais propose une éducation ouverte à tous.

Comme la peinture, la sculpture ou l'architecture, la musique reçoit les influences de l'histoire, de la vie sociale, des thèmes privilégiés de chaque époque. Peut-on alors concevoir une connaissance artistique entièrement basée sur un seul mode d'expression ? Des échanges multiples s'établissent entre ces domaines. Le langage même tend à les rapprocher : tonalité, harmonie, couleur relèvent d'un vocabulaire commun. La peinture abstraite se dépouille de toute représentation ou d'évocation du réel et, par là, rejoint la musique. Au cours des millénaires se poursuit un cheminement patient, avec des passerelles nombreuses, parfois évidentes, parfois cachées.

Panorama de l'évolution musicale, ce volume donne un tableau précis des grandes époques, signale les événements historiques, littéraires et artistiques indispensables à connaître, offre de rapides biographies des compositeurs les plus importants, et précise les caractères essentiels de leur esthétique.

INTRODUCTION

Aux origines de l'art

1. *Homme et bison blessé*, peinture rupestre, grotte de Lascaux.

Les premières traces artistiques remontent à 30 000 ans environ. Ensuite, l'homme-chasseur cherche à s'approprier le monde par la représentation, sur les parois des grottes, de l'animal convoité[1]. Il marque son territoire avec des motifs abstraits et des empreintes de mains.

Les origines de la musique se confondent vraisemblablement avec celles de l'homme. Il semble évident que le rythme en ait été l'élément essentiel. Battements des mains, frappements des pieds, choc de deux pierres ou de deux morceaux de bois soutenaient sans doute parfois – tels nos instruments à percussion – quelques dessins vocaux monodiques, inlassablement répétés et donc faciles à retenir. De cet art primitif, les plus anciennes civilisations du globe gardent encore quelques traces et certaines pratiques : chants de travail et chants incantatoires, en particulier, subsistent de nos jours dans des tribus africaines.

Venue d'Amérique du Nord, où vivent depuis plusieurs siècles des populations noires transplantées d'Afrique, une survivance se manifeste dans les chants et les danses soutenus par des rythmes incisifs continuellement reproduits, qu'apprécient souvent les jeunes.

À partir de ce rythme primitif, les éléments constitutifs de la musique et ses divers aspects se développent simultanément et/ou successivement et s'organisent parallèlement à la lente évolution de la société et des arts.

CHAPITRE I

Le Moyen Âge : la musique en quête d'elle-même

La Musique,
Portail royal de la cathédrale de Chartres, vers 1150.

L'installation des Papes à Rome dès le Iᵉʳ siècle et la célébration du culte chrétien étant officiellement autorisée par l'édit de Milan en 313, l'Église va affirmer son pouvoir spirituel, remplaçant bientôt le grec par le latin pour les offices, et la musique, par l'intermédiaire des clercs, évolue, en partie sous l'influence du philosophe romain BOECE (480 ?-524 ?) dont les théories se maintiendront durant plusieurs siècles.

Héritière de la synagogue, marquée elle-même par l'art grec, l'Église des premiers temps mêle les traditions païennes gréco-romaines et celles du culte judaïque où le chant à l'unisson ou à l'octave joue un rôle important.

A. MUSIQUE RELIGIEUSE

Entre les VIᵉ et XVᵉ siècles, la structure des églises se modifie, la vie collective religieuse demandant des édifices plus vastes. L'art roman, du XIᵉ au milieu du XIIᵉ siècle, crée des espaces intérieurs réduits : les murs massifs, percés de petites ouvertures, supportent des voûtes basses[1]. À partir du milieu du XIIᵉ siècle, grâce à des innovations techniques, l'architecture gothique permet de construire des cathédrales aux voûtes de plus en plus hautes[2]. Le chœur et la nef, généreusement éclairés, privilégient la dimension verticale, symbole de l'élévation vers la spiritualité.

Après les formes massives de l'art roman, s'élèvent les verticales très accusées de la structure gothique qui permettent à la lumière de pénétrer largement dans l'édifice.

À la monodie, forme primitive d'écriture musicale succède la polyphonie qui correspond à l'élévation des voûtes gothiques.

1. Abbatiale Saint-Philibert de Tournus, chapelle Saint-Michel, XIᵉ siècle.

2. Chœur de la cathédrale de Beauvais, 48 m de hauteur (1242-1322).

3. Tropaire de Saint-Martial de Limoges (XIe siècle).

Le roi David jouant du Crouth (considéré comme l'ancêtre de la viole).
*Notation musicale en **neumes** encore imprécis accompagnant le texte en latin.*

Les **tropes** peuvent s'insérer dans toutes les parties de l'office. Leur apparition s'explique par la nécessité pour l'exécutant de ne pas se perdre dans les longues vocalises.

Parallèlement, pendant cette dizaine de siècles, la musique s'enrichit peu à peu. Fait capital : d'abord monodique (à une seule voix) et de transmission orale, elle devient polyphonique (par superposition de plusieurs lignes mélodiques), les deux aspects coexistant. Une notation s'impose alors et son écriture sommaire et imprécise quant à la hauteur des sons et à leur durée – suite d'accents, de points, de traits placés au-dessus des mots et appelés **neumes** – s'achemine vers une plus grande clarté de lecture, le son, élément éphémère, ayant besoin d'un support visuel.

Dès la fin du Xe siècle, il était courant d'utiliser une ligne servant de point de repère pour la hauteur des neumes. Au XIe siècle, Guy D'AREZZO utilise quatre lignes et le dessin de la note prend la forme d'un carré. Jusqu'au début du XVIIe siècle, le nombre de lignes de la portée variera entre quatre et six.

Les traités et recueils musicaux, les innombrables enluminures ornant les manuscrits, œuvres de moines, les sculptures des cathédrales, véritables « livres d'images », constituent une source capitale pour la connaissance de la musique médiévale.

1. LA MONODIE

Moment privilégié de la vie du chrétien, la messe alterne chants et lectures psalmodiées, un peu à la manière du *sprechgesang*, sorte de déclamation appliquée par SCHOENBERG dans son *Pierrot lunaire* (1911).

Le répertoire liturgique englobe des psaumes dont la Bible fournit le texte, des hymnes et des cantiques spirituels à caractère populaire, œuvres des premiers chrétiens, parfois accompagnés de flûte ou même de danses, souvenirs des cérémonies païennes, et qui, comme les **tropes** plaçant un texte sous les vocalises de l'**Alleluia**, marquent une certaine liberté prise avec les impératifs de l'Église[3].

L'abondance d'œuvres, d'une valeur parfois discutable, la diversité des Églises chrétiennes (syriaque, grecque, romaine, milanaise, carolingienne, hispanique) oblige les pontifes à une réforme sérieuse et à une codification des chants. Cette difficile unification, nous la devons au pape Grégoire LE GRAND (540 ?-604) qui donne son nom à cette tentative. Son implantation et sa diffusion dans l'Europe occidentale se réalisent au cours des VIIIe et IXe siècles.

Le chant grégorien, réservé aux voix d'hommes, s'appuie sur huit « modes ecclésiastiques » ou d'église. L'uniformité de son rythme, le peu d'étendue de la mélodie, son absence de virtuosité, qui lui ont valu le nom de **plain-chant**, se justifient par son rôle de prière collective.

2. LA POLYPHONIE

Aux musiciens de la fin du IXe siècle revient l'honneur d'avoir superposé, sous le nom d'**organum**, deux parties vocales ou instrumentales, formant des quartes ou des quintes parallèles. Au XIIe siècle apparaît le **déchant**, qui introduit le mouvement contraire des voix, et en Angleterre – que le principal centre d'Europe de l'Ouest, Saint-Martial de Limoges, influence – le **gymel** et le **faux-bourdon**. Dès la fin du XIIe, et surtout au XIIIe siècle, la rigueur de la pensée scolastique, la précision des règles qui président à l'élaboration du plan interne des églises, ne sont pas sans incidence sur la musique.

Après Limoges, Paris devient un centre de rayonnement intellectuel et religieux intense. L'enseignement de la musique fait partie avec l'arithmétique, la géométrie et l'astronomie, du **quadrivium** qui s'appuie sur les théories anciennes. Aux moines souvent anonymes succèdent des compositeurs dont le nom se transmettra aux générations futures. Les maîtres de chapelle de Notre-Dame de Paris, LÉONIN puis PÉROTIN LE GRAND, principaux représentants de ce que les historiens appellent l'**École de Notre-Dame**, enrichissent les genres en usage : **organum**, jusqu'à trois et quatre voix, **conduit**, sur un texte religieux latin, **motet**, édifié sur un élément mélodique liturgique auquel se superpose parfois un texte profane.

En même temps se fait jour – et les nombreux manuscrits de Saint-Martial en font foi – un théâtre lyrique religieux issu de la messe, drame par le fond (commémoration du sacrifice divin) et par la forme (alternance du chant et de la parole, dialogue de l'officiant et des fidèles). Les fêtes de Noël et de Pâques donnent lieu à la concrétisation, dans l'église même, des personnages de l'Ancien et du Nouveau Testament. Cette forme dramatique en latin prend le nom de **drame liturgique**. Peu à peu des éléments profanes s'y ajoutent : ainsi, dans le *Jeu de Daniel*, encore monté il y a peu à Beauvais, ou le *Jeu d'Adam et Ève*, considéré comme l'un des chefs-d'œuvre du XIIe siècle. Les représentations, auxquelles participent des laïcs, se tiennent alors sur le parvis de l'église dont la façade[4], conçue comme un arc triomphal donnant accès à l'intérieur du sanctuaire, apparaît aussi comme un décor sculpté, fond de scène propice au jeu expressif des drames liturgiques.

Une nouvelle orientation se dessine avec les miracles, s'éloignant du souci d'édification, et dont les rôles reviennent à des professionnels. Le plus connu, *Le Miracle de Théophile*, écrit par RUTEBEUF entre 1260 et 1270, annonce le développement de ce genre dramatique au XIVe siècle. La musique s'y trouve

L'organum se présente comme la superposition à distance d'une quarte ou d'une quinte, d'une seconde voix sur un thème liturgique.
À l'époque gothique, une troisième et parfois une quatrième voix s'y ajoutent.

Le déchant introduit le mouvement contraire des voix se déplaçant autant que possible par degrés conjoints.

Le gymel double la mélodie parallèlement à la tierce ou à la sixte inférieure.

Le faux-bourdon utilise les quartes et les sixtes parallèles.

Le conduit est une des formes médiévales de la musique vocale sur un texte latin religieux à une ou plusieurs voix. Il doit son nom à sa destination de chant de conduite accompagnant l'entrée du lecteur ou les processions.

Le motet est une pièce à plusieurs voix dans laquelle le ténor présente à la partie inférieure un fragment liturgique ; s'y superposent une ou plusieurs voix ayant des textes différents, de caractère religieux ou profane.

5. Le Roman de Fauvel.

Le **rondeau** présente l'alternance de couplets et d'un refrain. Chanson à danser à l'origine, la **ballade** devient une forme littéraire que les compositeurs mettent volontiers en musique.

réduite au *Te deum* final. Un de ses épisodes figure sur le portail du croisillon nord de Notre-Dame de Paris.

L'évolution du drame semi-liturgique se poursuit avec les **mystères**, apparus à la fin du XIVᵉ siècle et qui se multiplieront au siècle suivant.

À la même époque, en Italie, les représentations sacrées, entièrement chantées, font appel à des décors complexes dus aux meilleurs artistes de l'époque.

Au cours du XIVᵉ siècle, le langage musical et sa notation se précisent. À la tendance à lier la durée des sons à la forme des notes, déjà entrevue au siècle précédent, s'ajoutent l'emploi de rythmes différents à chaque partie – amorce de la polyrythmie – et l'indépendance de la polyphonie vis-à-vis de thèmes imposés.

Cette émancipation, qui affranchit peu à peu le compositeur des contraintes de l'art liturgique et inquiète l'Église, prend le nom d'**Ars Nova**, titre de divers traités, dont l'un de 1320 dû au théoricien et musicien ami de Pétrarque, Philippe DE VITRY (1291-1361) qui généralise les procédés. Les historiens lui attribuent une douzaine de motets épars dans divers manuscrits, entre autres dans le *Roman de Fauvel*[5].

Guillaume DE MACHAUT (1300-1377) illustre de façon magistrale les théories de Philippe DE VITRY. Très grand poète et compositeur de **rondeaux**, **ballades**, **lais**, **virelais**, **complaintes** et d'une messe à plusieurs voix, *Messe à Notre-*

Dame, genre polyphonique qui, par la suite, devait prendre un développement extraordinaire, il exerce une influence considérable pendant tout le XVe siècle en France comme à l'étranger et particulièrement en Italie.

B. MUSIQUE PROFANE

Durant toute l'époque médiévale, à côté d'une inspiration purement religieuse, subsiste une représentation de thèmes et de personnages profanes qui devient de plus en plus réaliste avec le développement de la bourgeoisie et l'affaiblissement progressif des valeurs féodales. À la fin du Moyen Âge, à travers l'Europe, se crée en peinture et en sculpture un courant raffiné, plus humain, essentiellement en France avec l'art flamboyant et en Italie avec la peinture siennoise.

Musicalement, les œuvres se présentent sous forme de compositions lyriques ou épiques, sur des textes latins ou de l'époque, chants célébrant le plus souvent l'amour, l'histoire, les métiers, et colportés par des chanteurs ambulants, accompagnés parfois de jongleurs, dont les troupes reçoivent bon accueil jusque dans les monastères.

C'est au sud de la Loire, en pays d'Oc, au XIe siècle, qu'apparaissent les premières poésies lyriques en langue vulgaire, de style simple mais raffiné, et que se développe l'art nouveau des troubadours, dont le plus anciennement connu est Guillaume DE POITIERS, duc d'Aquitaine (1071-1127). Plusieurs générations, souvent de grands seigneurs, s'illustrent dans cette lyrique médiévale.

Après la croisade contre les Albigeois (1209-1229), les trouvères poursuivent dans le nord de la France l'élaboration de cet art. Parmi les représentants les plus originaux, on relève les noms de Thibaut DE CHAMPAGNE, du roi Richard CŒUR-DE-LION et surtout d'Adam DE LA HALLE (1240-1287), plus célèbre pour ses œuvres profanes que pour sa musique religieuse, qui fait représenter en 1285, à la cour du roi de Naples, une pastorale intitulée le *Jeu de Robin et Marion*[6] dans laquelle s'intercalent des chansons connues de l'époque.

Composant leurs mélodies sur des vers, ils doivent leur donner une carrure semblable à celle du texte poétique, s'opposant ainsi au chant grégorien non mesuré. Ils abandonnent certains modes d'église, introduisent des altérations, emploient presque systématiquement ce qui deviendra la **note sensible**.

Ils influencent en Allemagne les « Minnesaenger », grands seigneurs spécialisés dans les chants d'amour, et les « Meistersinger », corporation de maîtres chanteurs.

Durant les XIIe et XIIIe siècles, jusqu'à l'affaiblissement de la Chevalerie, plus de 400 troubadours répartis dans nombre de centres du pourtour méditerranéen chantent la société courtoise du temps.

La grande période des trouvères ne dure guère qu'un siècle : fin du XIIe à fin du XIIIe. Ils apparaissent au nord de la Loire et utilisent la langue d'oïl.

6. *Le Jeu de Robin et Marion*

Richard Wagner met en scène ces *Meistersinger* dans *Les Maîtres Chanteurs de Nuremberg* (1861-1867).

CHAPITRE II

Le XVᵉ siècle : oppositions de styles

Enfants musiciens par Luca Della Robbia, 1438,
panneau en marbre, musée de Santa Maria del Fiore *(Florence).*

Après le traité de Troyes (1420), l'Île-de-France et la Champagne perdent leur suprématie au bénéfice des Flandres, qui englobent à cette époque la Belgique, la Hollande et le Nord de la France, domaine des ducs de Bourgogne. La civilisation de commerçants qui s'y développe s'intéresse aux arts et commande aux peintres des représentations de plus en plus réalistes. L'apparence visible des choses s'appuie sur les effets de matière avec un goût pour le détail minutieux[1].

De nombreuses maîtrises, de florissants groupements portent, depuis de longues années, la musique chorale à un degré de perfection technique comparable à celui de la peinture. Dans ces régions très riches, au commerce prospère, les grandes villes belges et néerlandaises organisent d'éblouissantes fêtes religieuses et mondaines où la musique occupe une grande place.

Les cours princières, notamment celles de Philippe LE BON et Charles LE TÉMÉRAIRE, son fils, ducs de Bourgogne, dont le goût très vif pour les arts est célèbre, recrutent avec le plus grand soin leurs musiciens et se disputent les chanteurs-compositeurs en renom. Gilles BINCHOIS (1400 ?-1460) s'y illustre particulièrement.

A. ÉCOLE FRANCO-FLAMANDE

Plusieurs musiciens franco-flamands ont poussé à l'extrême le développement de la polyphonie et l'épanouissement du **contrepoint** (superposition de plusieurs lignes mélodiques, note contre note) avec parfois quelques excès dans l'emploi du **canon**.

Guillaume DUFAY (1400 ?-1474), ordonné prêtre en 1428, chantre à la chapelle papale puis retiré à Cambrai, fait une synthèse de la tradition française et des apports anglais et italiens dans ses œuvres : chansons et motets encore imprégnés du passé, messes plus novatrices préparant l'extension du genre.

Quoique flamand, Johannes OCKEGHEM (1425-1495) passa la plus grande partie de sa vie au service des rois de France Charles VII, Louis XI et Charles VIII. Maître du contrepoint (auteur d'un canon à 36 voix), il montre cependant un certain souci de liberté architecturale et mélodique qui le différencie de DUFAY. Comme tous les compositeurs de son temps, il écrit des messes, des motets, des chansons.

Peu influencé par l'Italie malgré les voyages qu'il y fit, Jacob OBRECHT (1450 ?-1505) s'inspire de la tradition contrapuntique néerlandaise, nuancée toutefois par une recherche expressive dans ses motets et ses chansons. Il a le goût d'une structure rationnelle s'appuyant sur des rapports numériques – une des tendances intellectuelles et spirituelles du XVe siècle – décelable dans deux de ses messes : *Subtuum praesidium* et *Maria Zart*.

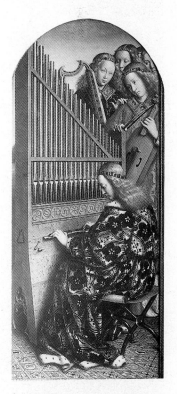

1. Hubert et Jan VAN EYCK, *les Anges musiciens*, polyptique de *L'Agneau mystique*, entre 1426 et 1432 (Gand).

La perfection dans le détail et dans le rendu des matières manifeste les goûts de la bourgeoisie commerçante des Flandres.

2. Sandro Botticelli, *La Naissance de Vénus*, détail, vers 1486, Galerie des Offices (Florence).

3. Michel-Ange, *La Création d'Adam*, 1510, voûte de la chapelle Sixtine, détail (Vatican).

Comme beaucoup de franco-flamands, Josquin des Prés (1440 ?-1524 ?) vécut de nombreuses années en Italie, à la cour des Sforza, puis à la chapelle pontificale. On trouve aussi diverses traces de ses séjours en France, où il meurt. Sa notoriété s'explique par sa science du contrepoint et de la polyphonie héritée des régions du Nord et son souci d'expression du texte, découvert en Italie. L'évolution se remarque dans ses messes, une vingtaine, encore construites sur **cantus firmus**, élément mélodique liturgique ou profane présenté par le ténor, sur lequel s'appuie chaque section, mais enrichi de procédés variés (messe **pange lingua**, par exemple). Ses motets et ses chansons traduisent avec plus de liberté que les messes – dont le texte est imposé – les nuances émotionnelles.

À la génération de Josquin des Prés appartient également Heinrich Isaac (1450 ?-1517), qui a partagé sa vie entre l'Allemagne et l'Italie. Il unit des apports de ces deux pays à la tradition flamande, avec une prédominance germanique dans l'écriture de ses messes, par l'alternance d'unisson et de polyphonie. Sa prédilection pour les chansons allemandes le différencie également de ses contemporains.

B. RENAISSANCE ITALIENNE

Au XVe siècle, en Italie, l'art ne se limite pas à une fonction uniquement religieuse. À travers le culte de l'Antiquité[2], l'artiste redécouvre le monde qui l'entoure et recherche les règles du Beau. L'homme, placé au centre de la création, devient la source

principale d'inspiration (BOTTICELLI, PIERO DELLA FRANCESCA). La conquête de la profondeur par la perspective, le souci du modelé par l'anatomie, ramènent le monde à la mesure de l'homme[3].

À la pointe du mouvement en ce qui concerne les arts plastiques, paradoxalement l'Italie n'occupe musicalement qu'une place insignifiante, étant totalement dominée par les franco-flamands. À l'extrême fin du siècle cependant, un renouveau se dessine avec l'appropriation de la poésie populaire dans les **frottoles**, particulièrement à Mantoue, à la cour d'Isabelle D'ESTE qui reçoit les plus grands artistes du temps : VINCI, TITIEN, L'ARIOSTE.

Frottole, chanson profane poético-musicale répandue surtout en Italie à la fin du XVe siècle, manifestant une opposition à la complexité du style officiel, franco-flamand.

C. LES INSTRUMENTS

Au Moyen Âge, les instruments soutiennent généralement la voix. La harpe, connue dès l'Antiquité et souvent associée au nom du roi David, accompagne le chant des troubadours et des trouvères. Le psaltérion, voisin de la harpe et qui se pose sur les genoux, existait avant l'ère chrétienne. Combiné au tympanon, instrument à cordes frappées, il donnera naissance, bien plus tard, à notre piano. Le luth, d'origine arabe, mentionné dans le *Roman de la Rose* (XIIIe siècle) devient à la mode. La vielle, très répandue dès le règne de CHARLEMAGNE, et dont la forme a beaucoup varié, prend le nom de viole au XVe siècle.

Les diverses sortes de flûtes, le cor, appelé aussi olifant, et que Roland, en difficulté, sonna à Roncevaux, la trompette, rare instrument à vent admis à l'église, continuent à s'utiliser.

Les percussions (tambours, timbales, cymbales, cloches, clochettes) marquent le rythme.

Instrument-roi du Moyen Âge, l'orgue, déjà présent dans l'Empire romain sous le nom d'hydraulis, se perfectionne et, dès le IXe siècle, s'emploie aussi bien à l'église que dans les fêtes mondaines où l'on se sert d'orgues positifs de petites dimensions.

Cependant, la musique uniquement instrumentale n'existe guère avant le XVIe siècle. Nous connaissons seulement des pièces de danses, *Estampies* et *Danses royales*, datant de la fin du XIIIe.

Ainsi, en ces dernières années du XVe siècle qui marquent la fin du Moyen Âge, toutes les composantes de la musique préparent une ère nouvelle, remarquablement féconde dans tous les domaines, et que les peintres italiens explorent déjà.

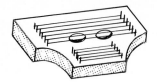

Tympanon

Orgue
portable

4. Concert instrumental au xve siècle, psautier de René II de Lorraine, bibliothèque de l'Arsenal (Paris).

Avec la découverte de la perspective, le peintre peut représenter le monde en trois dimensions. L'espace s'organise de façon cohérente : intérieur et extérieur. Parallèlement, la polyphonie apporte un relief sonore comparable par l'étagement de plusieurs lignes mélodiques.

Vielle

Harpe

Luth

CHAPITRE III

Le XVIe siècle : épanouissement de la Renaissance

Paul VÉRONÈSE, *Les Noces de Cana*, 1562-1563 (détail), musée du Louvre.

Dans ce groupe central de musiciens, on reconnaît de gauche à droite : VÉRONÈSE (viole), PALLADIO ? (viole), Jacopo BASSANO (flûte), TINTORET ? (violon), TITIEN (viole de gambe).

1. TITIEN (OU GIORGIONE), *Le Concert champêtre*, vers 1508, Paris, musée du Louvre.

Artistes complets, les plus grands créateurs, de Léonard DE VINCI à MICHEL-ANGE, s'expriment à travers la peinture, l'architecture et la sculpture. L'école vénitienne (TITIEN) traduit les splendeurs de la lumière et la beauté de la nature[1] avec une technique picturale savoureuse où la couleur joue un rôle essentiel. Les principes posés dès le siècle précédent se diffusent en Europe occidentale. Toutefois l'artiste, dépassé par le monde immense et complexe, se réfugie, à la fin du XVIe siècle, dans le *maniérisme*.

Historiquement, la Renaissance musicale, qui donne une vie nouvelle à tous les genres apparus peu à peu au cours du Moyen Âge, suit avec quelque retard celle de la littérature et des arts plastiques, et n'atteint sa plénitude que dans la seconde moitié du XVIe siècle.

Depuis sa naissance, le christianisme imposait une rigoureuse discipline aux cérémonies religieuses, bannissait toute survivance du paganisme et considérait la musique uniquement comme un moyen de prière. Cette contrainte, que la Réforme n'ébranlera guère, provoque peu à peu une sourde opposition, devenue aiguë au XVIe siècle, et conduit à une exaltation de l'antiquité gréco-romaine, à une interprétation humanisée de l'idéal divin, à une plus grande liberté d'expression. Cette « renaissance », ce mouvement « humaniste » accordent la primauté à la beauté, à l'individualisme, aux sentiments humains, à la nature.

Si, grâce à l'autorité de la papauté, l'art religieux conserve sa place et son importance dans les cérémonies, la musique profane, s'abreuvant aux sources antiques, devient réaliste et élargit son rayonnement.

En cette époque de raffinement, où des académies réunissant des amateurs éclairés se créent, où le mécénat joue un rôle déterminant, le luth acquiert ses titres de noblesse. Peu à peu, les derniers copistes disparaissent, ainsi que les derniers enlumineurs. La naissance de l'imprimerie musicale permet une reproduction des œuvres beaucoup plus importante, rapide et efficace. Le premier recueil publié, *Harmonices musices odhécaton*, qui sort des presses de Petrucci à Venise en 1501, constitue un événement majeur en ce début du XVIᵉ siècle où tous les éléments positifs se conjuguent pour favoriser la création et sa diffusion.

A. MUSIQUE DE L'ÉGLISE ROMAINE

Quatre pays demeurent totalement, ou presque, acquis à la musique religieuse traditionnelle : la France, les Flandres, l'Italie et l'Espagne. Messes et motets y constituent la majeure partie de la production.

1. FRANCE

Grâce à Pierre Attaignant, premier imprimeur français de musique, installé à Paris et qui, à partir de 1528, publie d'importants recueils, nous connaissons de nombreuses œuvres, non seulement de compositeurs parisiens, mais aussi de provinciaux.

Malgré les influences extérieures, l'abondance de pièces religieuses atteste la solidité de la foi. La polyphonie à quatre voix et l'écriture en imitation les caractérisent généralement. Claudin de Sermisy (1495 ?-1562), fécond auteur de treize messes, d'une *Passion selon saint Matthieu*, de soixante-dix motets et d'au moins cent cinquante chansons, sait, dans un but expressif, varier ses procédés, alternant contrepoint et verticalisme. Pierre Certon, son exact contemporain, utilise une technique similaire.

Imitation, procédé d'écriture consistant à reprendre, à distance d'octave ou d'un autre intervalle, une phrase musicale.

Verticalisme, procédé d'écriture en accords.

2. FLANDRES

Après Josquin des Prés, les compositeurs flamands les plus connus maintiennent une syntaxe rigoureuse, privilégiant la perfection de la structure au détriment de l'expression. Nicolas Gombert (1500 ?-1556), qui appartient à la Chapelle de Charles Quint, ainsi que Thomas Créquillon (?-1557), plus éclectique, Clemens Non Papa (1510 ?-1555), parfois attiré par des audaces mélodiques ou rythmiques, accordent une préférence très nette à la musique religieuse.

2. Roland DE LASSUS et la chapelle musicale du duc de Bavière, miniature du *Livre des Psaumes*, manuscrit exécuté pour le duc de Bavière Albert V.

À la génération suivante, Roland DE LASSUS (1520 ?-1594), qui n'a cessé de voyager en Europe occidentale[2], se montre curieux de tous les styles, s'intéresse à tous les apports nouveaux, enrichissant ainsi son langage. Il compose une cinquantaine de messes, surtout des messes-parodies, genre déjà timidement exploité au siècle précédent et qui s'appuie plus ou moins sur un motet ou une chanson. On lui doit aussi une centaine de *magnificat*, quatre *Passions,* sept cents motets où il peut donner libre cours à l'expression du texte, et de nombreuses chansons.

L'aisance de son écriture, la diversité et la puissance de sa production, son inépuisable imagination font sans doute de Roland DE LASSUS le musicien le plus novateur de son époque.

3. ITALIE

À la tête du mouvement artistique depuis plusieurs décennies, l'Italie se montre d'abord curieusement submergée par les musiciens franco-flamands, et il faut attendre le milieu du siècle pour que se manifeste un renouveau.

Exactement contemporain de LASSUS, PALESTRINA (1525 ?-1594) accomplit toute sa carrière dans son pays natal, en grande partie à Saint-Pierre-de-Rome en qualité de maître de chapelle. Il oriente toute son activité vers la musique liturgique : presque une centaine de messes – dont la célèbre *Messe du pape Marcel* – et un très grand nombre de motets et autres pièces destinées à l'Église.

Menacée par le concile de Trente (1542-1563) à cause de sa complexité et de certaines tendances profanes, la musique religieuse retrouve, grâce à lui et à quelques-uns de ses contemporains, sa simplicité et sa sérénité primitives. Il a su unir la science contrapuntique des franco-flamands à l'élégance et à la pureté mélodiques tout en annonçant un sens moderne de l'harmonie.

4. Espagne

Jusqu'à son abdication en 1556, Charles Quint, maître d'un immense empire, entretient une brillante chapelle comprenant surtout des musiciens flamands. Mais les compositeurs espagnols s'intéressent plus à l'expression qu'aux structures intellectuelles du contrepoint néerlandais. D'autre part, l'influence toujours très grande de la religion, bien que les rois Catholiques aient disparu depuis longtemps, maintient l'Espagne hermétique aux dogmes de la Réforme qui apparaissent dans la seconde moitié du siècle.

L'Andalou Cristobal de Morales (1500-1553) a laissé des œuvres presque uniquement destinées aux offices, illustrant de très près les nuances du texte.

Représentant de l'école castillane, et l'un des compositeurs les plus prestigieux de l'époque, Thomas Luis de Victoria (1536-1608 ?), bien qu'ayant fait longuement carrière à Rome, demeure, comme Morales, imprégné de la mystique espagnole. Il utilise parfois dans ses motets des thèmes spécifiquement hispaniques mais il cherche surtout à mettre en relief l'expression dramatique par la superposition de textes différents, créatrice de tension, l'emploi de dissonances et la répétition systématique d'éléments.

Fils de Philippe le Beau, archiduc d'Autriche, et de Jeanne la Folle, reine de Castille, Charles-Quint accumule les titres : Empereur du Saint-Empire romain germanique, Prince des Pays-Bas, roi d'Espagne, de Naples, de Sicile. Ses possessions comprennent aussi les colonies espagnoles d'Amérique.

B. MUSIQUE DE L'ÉGLISE RÉFORMÉE

Connu sous le nom d'époque de la Renaissance, le XVIe siècle, une des périodes les plus mouvementées du développement artistique de l'Europe occidentale, voit l'apparition d'une scission dans l'Église jusqu'alors monolithique. Cette fracture, née en Allemagne et qui donnera une impulsion bénéfique à sa musique religieuse, se propage en France, en Suisse et en Angleterre.

1. Allemagne

Les critiques formulées depuis des décennies à propos du dogme, des rites et de la liturgie explosent en Allemagne, aboutissant à la Réforme protestante réalisée par Luther (1483-1546). Docteur en théologie, passionné de musique, il préconise une participation active des fidèles, donc des chants à une ou plusieurs voix, en allemand, de mélodie aussi facile que la

Ein' fe - - - - - - - - - - - - - - - ste Burg ist un - ser Gott

3. Premières mesures de *Ein Feste Burg* de Luther.

chanson populaire. Dans cet esprit, il crée le **choral**, de carrure nette. Il écrit à plusieurs reprises texte et musique mais il puise le plus souvent dans le répertoire catholique, qu'il adapte. Son choral le plus connu, *Ein feste burg ist unser Gott (C'est un rempart que notre Dieu)* a été utilisé par BACH (cantate BWV 80), MENDELSSOHN (symphonie *Réformation*), MEYERBEER *(Les Huguenots)*, STRAVINSKY *(l'Histoire du Soldat)*. Il fait aussi appel à d'autres compositeurs, Martin AGRICOLA (1486?-1556), Johann WALTHER (1496-1570), mais s'inspire également, ainsi que ses successeurs, d'œuvres religieuses ou profanes existantes. Ce genre nouveau, d'exécution monodique facile, prendra place dans une musique plus élaborée exigeant une écriture polyphonique très stricte.

2. FRANCE ET SUISSE

Rapidement, la réforme luthérienne gagne la France. Jean CALVIN (1509-1564), né à Noyon, en approuve les bases. Mais son prosélytisme l'oblige à se réfugier en Suisse. Il se rend à Bâle, puis à Strasbourg et se fixe enfin à Genève. Avec la collaboration poétique de Clément MAROT (1496-1544) et de Théodore DE BÈZE (1519-1605) pour un arrangement rimé en français des *Psaumes de David*, et celle des musiciens Claude GOUDIMEL (1520 ?-1572) et Claude LE JEUNE (1530 ?-1600), il établit l'ouvrage de base de l'hymnologie réformée[4].

4. GOUDIMEL, *Psaume CXXVIII.*

Contrepoint simple dans lequel les parties se superposent en observant exactement les mêmes valeurs de durée.

Bien - heureux   est qui - con - ques sert à Dieu   vo - lon - tiers

3. ANGLETERRE

Assez peu touchée par les franco-flamands de l'époque précédente, l'Angleterre semble repliée sur elle-même. Elle vit dans le souvenir de son plus grand compositeur, John DUNSTABLE (mort en 1453), qui utilise les consonances, bannit toute dureté – à l'inverse des continentaux –, amplifie la mélodie et privilégie **l'isorythmie**. Mais, dès le premier quart du XVIe siècle, les thèses de LUTHER s'implantent.

La Réforme, en Angleterre, commence par une mise en cause du clergé dont l'ignorance et les abus soulèvent l'indignation.

Isorythmie, utilisation d'un même rythme. Le terme s'applique particulièrement pour l'écriture des ténors, dans les motets, dont la ligne mélodique est faite de cellules rythmiques identiques.

Dès 1520 s'ouvre une période de violences. Pour des raisons personnelles, Henri VIII rompt avec Rome et se proclame chef de l'Église Anglicane (1534).

L'alternance de la liturgie romaine et du rite protestant, selon l'appartenance religieuse du souverain, se poursuit jusqu'à l'avènement d'Élisabeth Iʳᵉ qui précise les règles de la nouvelle religion, principalement l'emploi de la langue vernaculaire et du chant collectif, simple dans son texte et sa mélodie. Par esprit de tolérance sans doute, et cherchant peut-être un compromis, elle engage pour sa chapelle des organistes catholiques : Thomas TALLIS (1505-1585) et William BYRD (1542 ?-1623), son élève. Leurs *Cantiones Sacrae* (1575), sur textes latins qu'ils présentent à la reine, ne cachent pas leur appartenance. Ils ont composé des messes, mais aussi des services pour le culte protestant, ainsi que des **anthems** – qui, comme le motet catholique, ne font pas partie de la liturgie – et des pages chorales parfois soutenues par l'orgue.

Comme son contemporain Christofer TYE qui appartenait à la chapelle du King's Collège, TALLIS, qui séjourna dans plusieurs monastères, écrivit pour la religion réformée à partir de 1540.

De même que le motet à l'église, l'**anthem** intervient au cours de l'office.

C. MUSIQUE VOCALE PROFANE

Avec l'humanisme triomphant du XVIᵉ siècle, le sens du texte, primordial, provoque le revêtement musical ; texte et son se fondent étroitement.

1. LA CHANSON FRANÇAISE

L'abondance des recueils imprimés prouve l'intérêt grandissant d'un public cultivé pour la chanson polyphonique en langue française. Le XVIᵉ siècle, tout en utilisant les ressources du contrepoint, lui apporte spontanéité, vivacité et rythme, qualités de la chanson populaire, à laquelle d'ailleurs elle emprunte parfois ses thèmes. Elle devient l'équivalent vocal de ce qu'on appellera plus tard la musique de chambre (trio, quatuor, quintette). Rien ne limite le choix des sujets et des formes. Cette souplesse et cette liberté justifient sans doute la magnifique floraison de compositeurs qui la pratiquent.

Paris constitue un centre principal de la chanson française, mais aux Pays-Bas, la cour apprécie également ce genre. Nicolas GOMBERT écrit 74 chansons françaises et certaines œuvres de Thomas CRÉQUILLON sont transcrites pour instruments.

Claudin DE SERMISY (1490-1562) suit François Iᵉʳ en Italie et voyage en Angleterre. À côté d'œuvres religieuses, il écrit de très nombreuses chansons dont il renouvelle l'intérêt par l'alternance de l'écriture verticale s'ouvrant sur l'harmonie et de l'imitation. Il doit sa célébrité surtout à ses chansons galantes. *Languir me fais* ou *Jouissance vous donnerai*, sur texte de MAROT, obtinrent un tel succès qu'elles furent choisies comme timbre de chansons pieuses.

Provincial de la région bordelaise, Clément JANEQUIN (1485 ?-1558) a écrit beaucoup de chansons d'esprit léger, d'écriture expressive, mais aussi de véritables fresques descriptives de vastes proportions, suivant le texte de très près. Sa *Bataille de Marignan*[5], évoquant la célèbre victoire de François Ier en 1515, comme le *Siège de Metz* ou la *Prise de Boulogne*, traduisent avec une étonnante vérité les bruits de la mêlée. Au genre humoristique appartiennent les *Cris de Paris* et le *Caquet des femmes*. Dans les tableaux de nature, nouveaux en musique, prennent place plusieurs *Chasses* et le remarquable *Chant des oiseaux*, plein de poésie.

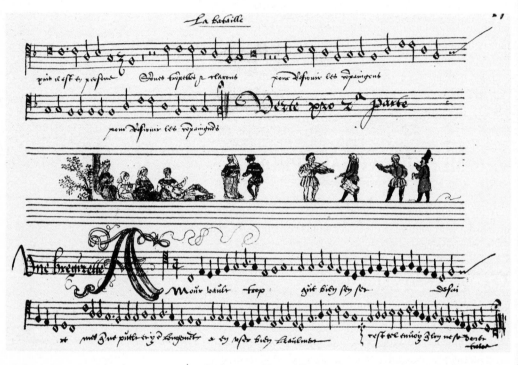

5. Fragment d'un recueil de chants (1542), Bibliothèque nationale.

Après une partie de La Bataille de Clément JANEQUIN, une ligne de personnages (spectateurs et danseurs accompagnés à la viole et au tambourin) précède une bergerette.

Le succès de ces chansons à programme s'étend bientôt à toute l'Europe. L'influence de JANEQUIN, très grande sur ses contemporains, s'exerce nettement sur les madrigalistes italiens.

Auteur également de musique religieuse, le parisien Pierre CERTON (? -1572) prend surtout sa place dans la chanson, choisissant des textes de grands poètes de l'époque : Clément MAROT, Maurice SCÈVE, Pierre DE RONSARD. L'influence des **frottoles** populaires et de la danse le conduisent à une structure strophique syllabique. En 1576, après sa mort, paraît son *Recueil des plus belles et excellentes chansons en forme de voix de ville*, chansons monodiques. Mais déjà, il avait annoncé la transformation de la « voix de ville » en « air de cour », genre appelé à un grand succès, dans son *Livre d'airs de cour mis sur le luth* (1571).

Comme les compositeurs, influencés par les genres italiens dans la construction des œuvres et leur lisibilité, les architectes français (LESCOT, DELORME) modifient la distribution de la structure des édifices[6]. À partir d'un répertoire de formes importées d'Italie, ils rythment les façades par la répétition d'éléments géométriques simples, imprégnés d'équilibre et de mesure.

Ce souci d'humanisme qui dynamise tous les arts aboutit à des essais de musique mesurée à l'Antique.

En 1570, le poète Jean Antoine DE BAÏF et le musicien Thibaut DE COURVILLE fondent, avec l'appui du roi artiste Charles IX, une Académie de musique et de poésie fréquentée par des poètes de la Pléiade (RONSARD, JODELLE), des musiciens (Claude LE JEUNE, DU CAURROY, MAUDUIT), des humanistes, des savants, des instrumentistes, des chorégraphes. Cette élite intellectuelle, hantée par l'Antiquité, souhaite unir poésie et musique à la manière des Grecs et des Latins. BAÏF écrit des vers scandés à l'antique et les compositeurs de son Académie, supprimant les barres de mesure et négligeant les règles traditionnelles, les parent d'harmonies suscitées uniquement par le rythme du texte.

Cet intéressant retour à l'antique[7], peut-être entaché d'une certaine monotonie mais indiscutablement original, ne tarde pas à disparaître. Cependant, Guillaume COSTELEY (1531 ?-1606), ami de BAÏF et des poètes humanistes, qui occupa auprès du roi les fonctions d'organiste puis retourna dans sa Normandie natale, fonda à Évreux en 1575 un concours de composition : le Puy de musique d'Évreux.

6. Cour carrée du Louvre.

Façade de Pierre Lescot, terminée en 1551.

Re- ve-cy   ve- nir du   Prin- tans L'a-mou- reuz' et bel- le   sai - zon.

7. LE JEUNE : « Revecy venir du printans », exemple de musique mesurée à l'Antique.

2. LE MADRIGAL ITALIEN

Dès les premières années du XVIe siècle, la **frottole**, de structure nette, d'exécution aisée, a conquis une place de premier plan dans la musique vocale profane italienne. Mais, peu à peu, elle s'oriente vers un choix de textes moins populaires et vers 1530 naît un genre voisin de la chanson française, le **madrigal**. Cette courte pièce, de forme libre, très différente des œuvres antérieures de même nom, cherche à traduire le plus exactement possible les intentions du texte. À quatre parties, d'abord vocales, elle pourra ne comporter qu'une seule voix soutenue par des instruments, première esquisse de la mélodie accompagnée.

Tous les compositeurs s'essaient alors à cette forme, de Philippe VERDELOT (mort en 1552) qui l'inaugure avec ses *Madrigali di diversi excellentissimi musici*, à Jacques ARCADELT (mort en 1569) et à Philippe DE MONTE (1521-1603). Mais la puissance d'expression et la richesse du style placent MONTERVERDI (mort en 1643) bien au-dessus de ses prédécesseurs.

Le madrigal italien, au rayonnement presque aussi grand que la chanson française, va enrichir de nombreux éléments l'art des deux siècles suivants.

D. LA MUSIQUE INSTRUMENTALE

Au XVIe siècle, la musique instrumentale[8] acquiert vie et indépendance et le répertoire s'enrichit peu à peu de pages originales, au détriment des transcriptions.

D'abord instrument d'accompagnement, l'orgue apparaît en soliste dans les cérémonies où il joue un rôle brillant. De nombreux artistes découvrent ses possibilités techniques, d'abord en Allemagne, puis en Italie où le **ricercare** prépare la forme de la fugue. Un nouveau système de notation appelé **tablature**, tenant compte des améliorations successives apportées à l'instrument, s'instaure. Les premières tablatures d'orgue, allemandes, datent de la seconde moitié du XVe siècle.

À côté de l'orgue, utilisé également au théâtre, le **luth**, sorte de guitare finalement à cinq cordes, d'origine égyptienne, puis introduit par les Arabes en Europe à travers l'Espagne et dont la tablature diffère selon les pays, connaît une grande vogue, particulièrement à la cour de François Ier, et séduit maints virtuoses.

Dès la seconde moitié du siècle, **violons** et **violes** acquièrent une importance croissante et se perfectionnent notablement.

Des luthiers italiens se spécialisent dans la fabrication des violons, tels Amati, de Crémone, et plus tard son élève : Stradivarius.

En Angleterre, l'**épinette** primitive – instrument à clavier, ancêtre du clavecin – prend le nom de **virginal** et attire les compositeurs, parmi lesquels William Byrd et Orlando Gibbons (1565-1650), virginaliste de la cour, qui, comme les Espagnols, illustrent particulièrement le genre de la variation.

L'étonnante série de gravures que Hans Burgkmair et Albrecht Dürer réalisent vers 1517 pour le *Triomphe de Maximilien le Grand* groupe avec beaucoup de précision tous les instruments en usage à l'époque.

8. Le Tintoret, *Concert de nymphes*, vers 1570 (détail), Dresde, Gemäldegalerie.

Au centre, clavecin et viole à bras (ancêtre du violon).
De gauche à droite : luth et basse de viole (ancêtre du violoncelle).

CHAPITRE IV

Le XVIIᵉ siècle : Europe classique et baroque

Nicolas TOURNIER, *Le Concert*, musée du Louvre.

De gauche à droite : un violoncelle, un clavecin, un violon, un luth.

Dès le XVIe siècle, l'art baroque, nourri des idées humanistes, naît en Italie, en réaction contre l'austérité de la Réforme. Il utilise les effets les plus fastueux et grandioses, avec un goût très affirmé pour une mise en scène mouvementée, et sombre parfois dans l'extravagance, la surcharge et l'informe. Au XVIIe siècle, la Contre-Réforme favorise la propagation de ce nouvel idéal à travers le monde évangélisé, de l'Europe orientale à l'Amérique latine. Il se prolonge au XVIIIe siècle. Devenu plus fantaisiste dans les pays germaniques, il prend alors le nom de *rococo*. Comme tous les arts, la musique s'insère dans la culture de l'époque et dans l'élite de la société, où tout « honnête homme » se doit de la connaître et même de la pratiquer. Elle contribue, comme élément participatif, à l'expression de la foi spirituelle et temporelle, à la glorification de Dieu et du monarque.

Autour des années 1600, des formes nouvelles surgissent, qui serviront d'assise à toute la musique moderne : opéra, récit chanté ou *récitatif*, mélodie accompagnée, oratorio, cantate. La *basse continue*, sur laquelle se superposent les voix, supplante le contrepoint mais elle disparaît vers 1750. Les possibilités des instruments s'amplifient. Les luthiers italiens apportent à la famille des violes d'ultimes perfectionnements. L'orgue et le clavecin vont connaître la

1. Vue aérienne du château et du parc de Versailles, Louis LE VAU et Jules HARDOUIN-MANSARD, 1668-1682.
La distribution symétrique caractéristique de cette architecture se retrouve aussi dans la structure de l'ouverture des opéras.

plus grande faveur, tandis que le luth, très pratiqué aux siècles précédents, tombe peu à peu en désuétude. Dans son monumental ouvrage *Harmonie universelle contenant la théorie et la pratique de la musique*, paru à Paris en 1636, le père MERSENNE, ami de DESCARTES, expose les dernières conquêtes de la science musicale en ce début du XVIIe siècle.

La France se montre assez réticente à l'art baroque. Le classicisme littéraire, étroitement lié à la doctrine cartésienne de la raison, exerce une influence indéniable dans les différents domaines de l'esthétique.

Peintres, sculpteurs et architectes cherchent à s'exprimer à travers un ensemble de règles. La beauté des formes et des proportions (nombre d'or) devient une obsession. Le château de Versailles[1], expression grandiose de l'idée monarchique, est distribué symétriquement autour de l'axe solaire Est-Ouest ; la chambre du roi en occupe le point central. Sous la direction de LEBRUN, artistes, artisans et techniciens

Le nombre d'or, empreint de mystère, influence la vision occidentale depuis l'antiquité grecque. À la Renaissance, architectes, peintres et sculpteurs ont fait du nombre d'or « la divine proportion ».

VITRUVE énonce : « Pour qu'un espace, divisé en parties inégales apparaisse agréable et esthétique, il devra exister entre la plus petite et la plus grande partie, la même relation qu'entre cette dernière et l'ensemble. »

$$\frac{AC}{CB} = \frac{AB}{AC}$$

travaillent à une synthèse idéale des arts majeurs et mineurs. Cette aspiration vers un équilibre rationnel préoccupe également les musiciens. Pour toutes les disciplines, des académies se créent, qui tentent d'imposer une certaine rigueur : *Académie française* fondée par RICHELIEU (1635), *Académie de peinture et de sculpture* due à LEBRUN (1648), *Académie royale de musique* (1669), *Académie d'architecture* (1671).

A. LA MUSIQUE DRAMATIQUE

Par les décors, où la perspective donne l'illusion du réel, par les costumes très raffinés, par la mise en scène dotée d'une machinerie complexe, par le figuralisme de la musique et l'ornementation excessive de la ligne mélodique, l'opéra réalise une union d'éléments baroques.

L'opéra semble né soudainement, aux premières années du XVIIᵉ siècle ; il résulte cependant d'une lente évolution. Ses diverses composantes existent en germe depuis le Moyen Âge : **miracles**, **mystères,** et plus tard, **ballet de Cour** en France, *Sacrae rappresentazioni*, **pastorale**, **madrigal** en Italie. Mais le style musical dramatique et la découverte de l'harmonie, au sens moderne du mot, n'apparaissent qu'au cours du XVIIᵉ siècle.

1. L'OPÉRA EN ITALIE

a. Florence

Le cénacle du comte BARDI, vers 1580, puis, après son départ pour Rome, celui du comte CORSI, où se réunissent poètes et musiciens, préparent la naissance de l'opéra. Comme BAÏF et les humanistes en France, Vincenzo GALILEI (1533-1591) – remarquable luthiste et père du célèbre physicien qui a beaucoup écrit pour son instrument – considère, selon la tradition grecque, que seule la monodie peut exprimer les sentiments. Il contribue à la création de la musique représentative, c'est-à-dire dramatique, qui met toujours en scène des héros de la mythologie.

Renonçant à la polyphonie qui brouille la lisibilité du texte, les chanteurs-compositeurs CACCINI (1550-1618) et PERI (1561-1633) fixent le nouveau style récitatif, suivant de très près les inflexions de la voix. En collaboration avec le poète RINUCCINI, PERI donne en 1594 la pastorale de *Dafné* puis, en 1600, pour le mariage d'Henri IV avec Marie de Médicis, une *Eurydice* fut représentée à Florence. Ainsi l'opéra, drame musical entièrement chanté, avec ses danses, ses airs, ses chœurs accompagnés par l'orchestre et reliés par des phrases en **récitatif**, vient de naître. Croyant ressusciter l'art antique, les novateurs florentins

Pastorale, œuvre dramatique brève, d'esprit champêtre, mettant en scène des bergers et des bergères.

Récitatif, dans la musique dramatique et la musique religieuse, chant déclamé qui suit les inflexions de la parole et laisse donc la primauté au texte.

ont créé une forme totalement nouvelle, répondant aux aspirations de l'époque, et qui prendra bientôt, pour plusieurs siècles, une place primordiale.

Il appartient désormais à Monteverdi[2] de développer ces premières tentatives de drame lyrique et de leur assurer un succès définitif.

b. Venise

Né à Crémone, Claudio Monteverdi (1568-1643) fut élève d'Ingegneri dans sa ville natale. Il y étudie la composition mais pratique aussi chant et instruments. Vers 1591, il entre comme violoniste au service du duc de Gonzague à Mantoue et accompagne son maître dans ses voyages à l'étranger, prenant ainsi contact avec des styles différents. En 1602, il reçoit la charge de maître de chapelle. Après la mort du duc, il accepte la même situation à Saint-Marc de Venise et y demeure jusqu'à la fin de ses jours.

Son œuvre, importante, comprend des pages de musique religieuse, neuf livres de madrigaux échelonnés sur toute sa carrière et où se devine, dès les premiers, son sens du drame. Pour le théâtre, il écrit plusieurs ballets et quatre opéras : *Orféo* (1607), *Ariana* (1608), *Il ritorno d'Ulisse in patria* (*Le Retour d'Ulysse dans sa patrie*, 1640), *L'Incoronazione di Poppea* (*Le Couronnement de Poppée*, 1642). Avec cette dernière œuvre, il traite pour la première fois un sujet historique : la tragédie vécue par l'épouse délaissée par l'empereur romain Néron.

2. Anonyme, *Claudio Monteverdi*, Oxford, Ashmolean Museum (Hill collection).

Monteverdi sait exprimer de façon réaliste et personnelle tous les sentiments humains et accorde à la mélodie et à l'orchestre autant d'expression dramatique qu'à la poésie. La puissance de son génie le place en tête des artistes du XVIIe siècle.

Son élève Cavalli (1602-1676), outre de la musique vocale religieuse et profane, compose une vingtaine d'opéras mythologiques ou historiques dans la tradition de son maître ; certains ont été représentés hors de Venise, à Vienne, à Paris, à Milan.

Contemporain de Cavalli, Cesti (1623-1669) préconise la primauté de la mélodie, donc de l'**aria**, sur le récitatif. Bien qu'ayant fait ses études à Rome, il subit profondément l'influence vénitienne. Son opéra le plus connu, *Il Pomo d'oro* (*La Pomme d'or*, 1667) lui fut commandé par Léopold Ier d'Autriche à l'occasion de son mariage.

En ce milieu du XVIIe siècle, Venise occupe une place unique en Europe. Durant plusieurs décennies, une vie artistique intense y règne et, à partir de 1637, quelques **théâtres** publics destinés à des représentations lyriques ouvrent leurs portes.

Aria (en français : air), mélodie vocale ou instrumentale isolée ou incluse dans une œuvre.

Théâtres à Venise. Le théâtre San Cassiano, premier théâtre public, ouvre en 1637. Avant 1700, il y en aura seize, portant le nom de la paroisse où ils sont édifiés.

3. École des GALLI, dits BIBIENA, *Intérieur du théâtre Farnèse*, National Gallery, Londres.

c. Rome

Dans la cité papale, l'opéra, spectacle profane, se heurte parfois à des oppositions et les compositeurs choisissent surtout des livrets d'esprit religieux ou allégorique, souvent fournis par le cardinal ROSPIGLIOSI. Ainsi Stefano LANDI (1590-1639) met en musique *Il Sant'Alessio (Saint Alexis)* représenté en 1632 pour l'inauguration du théâtre[3] que les BARBERINI, neveux du pape Urbain VIII, édifient en leur palais.

Le style romain fait une place plus grande à l'air qu'au récit qui expose les événements. Il accorde aux chœurs une place beaucoup plus importante qu'à Florence ou Venise. Mais le mécénat des Barberini cesse en 1642, à l'avènement du nouveau pape Innocent X.

d. Naples

L'opéra apparaît plus tardivement que dans les autres villes italiennes. *Le Couronnement de Poppée* ne fut connu à Naples qu'en 1651. PROVENZALE (1627-1704) révèle à ses compatriotes les œuvres vénitiennes et en compose dans le même style.

À partir de la fin du XVIIᵉ siècle, Naples à son tour brille d'un vif éclat grâce à Alessandro SCARLATTI (1659-1725), auteur d'une centaine d'opéras, d'environ sept cents cantates profanes, de trente-cinq oratorios et cantates spirituelles, de seize messes, d'ariettes, de madrigaux, d'œuvres instrumentales variées et qui synthétisent tous les apports antérieurs.

Son art, en perpétuelle évolution, accorde une nette prépondérance à la musique, mais non à la virtuosité et au **bel canto**, malgré l'emploi de l'**aria da capo** (air avec reprise), souvent orné d'abondantes vocalises mettant en valeur l'habileté du chanteur. Dès ses premières œuvres, il annonce le XVIIIᵉ siècle et attire toutes les faveurs du public, particulièrement en Allemagne où son prestige se fait longuement sentir.

2. L'OPÉRA EN FRANCE

a. Les précurseurs

Tandis que l'Italie poursuit fiévreusement ses tentatives de drame lyrique, la France, depuis le XVᵉ siècle, prend le plus grand plaisir aux fêtes brillantes (cortèges de chars, défilés, arrivées de souverains) mais surtout aux divertissements où s'intercale la danse (entremets à la cour de Bourgogne, mascarades et tournois). Les guerres d'Italie auxquelles prennent part Charles VIII, Louis XII et François Iᵉʳ permettent de découvrir des artistes cisalpins qui apportent de nouvelles dimensions à nos essais. Poètes français et chorégraphes italiens s'accordent pour leur donner une action dramatique suivie, exprimée par un texte chanté, accompagné par l'orchestre, et entrecoupé de danses qui participent au spectacle. Une mise en scène somptueuse comprenant plusieurs entrées et même des machines (décors animés) rehausse le faste des représentations. Cette forme musicale en partie dansée prend le nom de **ballet de cour**[4] et s'adresse à un public aristocratique. Le plus connu, le *Ballet comique de la reine*, imaginé en 1581 par BALTASARINI dit BEAUJOYEUX pour les noces du duc DE JOYEUSE avec Marguerite DE LORRAINE, sœur de la reine, comprend une ouverture, des récits, des airs, des chœurs, de la danse ; par conséquent, tous les éléments du drame lyrique. Mais il faut attendre la venue au pouvoir de MAZARIN pour que s'introduise en France l'opéra italien, forme d'art lyrique déjà cohérente.

4. Le ballet *Les fées des forêts de St-Germain* dansé au Louvre le 11 février 1625, entrée des Espagnols joueurs de guitare (guitare), Cabinet des dessins, Louvre.

Commande de Mazarin, *Orfeo* revêt une grande importance dans l'histoire du théâtre lyrique, car ce fut la première œuvre avec machines (décors animés) montée en France.
Pour la circonstance, Mazarin, d'origine italienne, avait fait venir d'outre-monts une vingtaine de musiciens, les chanteurs et le décorateurs.

Parallèlement à cette évolution, la polyphonie tend à disparaître au profit de la monodie. Afin de mieux comprendre le texte, seule la voix supérieure exécute la mélodie que les autres parties soutiennent. À l'écriture contrapuntique, accordant à toutes les voix une égale importance, se substitue peu à peu l'harmonie caractérisée par l'accompagnement en accords. Ainsi se forme l'**air de cour**, d'allure savante, opposé à la chanson populaire, moins raffinée. Pierre GUÉDRON (1570 ?-1620 ?), qui semble ignorer les recherches italiennes de déclamation notée, et son gendre Antoine BOESSET (1586-1643) apprécient particulièrement cette forme.

Encouragées par le tout-puissant MAZARIN, des troupes italiennes viennent donner à Paris des représentations d'opéras. En 1647, l'*Orfeo* de Luigi ROSSI (1598-1653), par ailleurs l'un des maîtres de la cantate, obtient un succès retentissant, mais le ballet reste en faveur à la Cour, car il permet au jeune Louis XIV d'y manifester son talent de danseur.

Cependant, le poète PERRIN (1620?-1675) et l'organiste CAMBERT (1628-1677) écrivent en collaboration une *Pastorale* (1659), suite d'airs agrémentés de ritournelles, jouée à Issy, près de Paris, puis devant la Cour à Vincennes par une troupe d'amateurs, et qui produit un effet considérable.

L'année suivante, pour célébrer le mariage du roi, CAVALLI fait représenter son *Xerse* accommodé au goût parisien par l'insertion d'un ballet de LULLY entre chaque acte et l'apparition de Louis XIV en soleil dans le ballet final.

Toutefois, le 28 juin 1669, PERRIN obtient, grâce à l'appui de COLBERT, le privilège d'établir à Paris une Académie royale de musique. Il inaugure la salle en mars 1671 avec *Pomone*, pastorale en cinq actes et un prologue, musique de CAMBERT qui dirige l'orchestre. Cet essai, accueilli avec succès, marque la naissance de l'opéra français. De mauvaises affaires obligent PERRIN à céder son privilège à LULLY, alors surintendant de la musique du roi.

b. Lully (1632-1687)

Venu en France en 1643 dans la suite du chevalier DE GUISE, le Florentin Jean-Baptiste LULLY entre au service de Melle DE MONTPENSIER, la Grande Mademoiselle. Il manifeste de sérieuses dispositions pour la musique, se montre excellent danseur, apprend le violon et entre dans la **Grande bande des violons du roi**, composée de vingt-quatre instrumentistes. Bientôt il obtient la direction d'un nouveau groupement : la **Bande des petits violons** qui en réunit seize.

En 1653, Louis XIV nomme LULLY compositeur de la musique instrumentale. Avec le poète BENSERADE, il écrit de nombreux ballets de cour, dans lesquels il élimine peu à peu toute trace d'influence italienne. Naturalisé français et nommé surintendant de la musique et compositeur de la Chambre en 1661, il épouse quelques mois plus tard la fille du musicien LAMBERT. De 1664 à 1671, il collabore avec MOLIÈRE, écrivant des intermèdes pour une série de comédies-ballets : *Le Mariage forcé*, *La Princesse d'Élide*, *L'Amour médecin*, *Georges Dandin*, *Monsieur de Pourceaugnac*, *Les Amants magnifiques*, *Le Bourgeois gentilhomme*. En 1672, il achète à PERRIN le privilège de l'Académie royale de musique et exerce un pouvoir quasi dictatorial, écartant de sa route tous les compositeurs de son temps. Comblé d'honneurs et de richesses, il donne alors à peu près régulièrement un opéra par an – treize en tout[5] – sur des poèmes de QUINAULT, parmi lesquels *Cadmus et Hermione* (1673), *Alceste* (1674), *Thésée* (1675), *Armide* (1686). Il meurt en 1687 des suites d'une blessure qu'il s'était faite au pied avec sa canne de chef d'orchestre.

Parfait courtisan, homme d'affaires habile, organisateur de premier ordre, LULLY peut être considéré comme le véritable créateur de l'opéra français. Si ses mélodies ne présentent aucune qualité exceptionnelle, si son harmonie n'a rien de révolutionnaire, s'il n'a inventé ni l'opéra ni ses éléments constitutifs, il en équilibre toutefois les diverses parties et donne à cette forme une parfaite cohésion.

Ses sujets, tirés de la mythologie grecque, dégagent parfois une certaine monotonie mais ne manquent pas de grandeur, à l'image de l'atmosphère très solennelle du siècle de Louis XIV.

6. Nicolas Poussin, *L'Inspiration du poète*, vers 1625, Musée du Louvre.

Ce peintre des dieux et des héros sut admirablement traduire l'esprit classique : sens parfait de l'équilibre, de la majesté, de la grandeur dans la sobriété.

L'ouverture à la française (deux mouvements lents encadrant un mouvement vif, à l'inverse des Italiens) précède un **prologue** formant ballet de cour, en hommage à la gloire du roi, puis vient la tragédie inévitablement découpée en cinq actes.

À la manière des Florentins, LULLY accorde une importance essentielle au **récitatif** – qu'il souhaite très proche du langage parlé – accompagné d'abord par le clavecin, plus tard par l'orchestre. LECERF DE LA VIEVILLE, grand amateur d'opéra, n'affirmait-il pas au début du XVIIIe siècle qu'il « allait se former sur les tons de la CHAMPMESLÉ », célèbre actrice et interprète appréciée de RACINE ? Il obtient des chœurs de puissants effets dramatiques qui accroissent la majesté de l'œuvre.

Il excelle dans la musique descriptive, les symphonies expressives, pages d'orchestre reliant les diverses parties de l'œuvre, mais ne s'intéresse ni à l'harmonisation ni à l'orchestration : il écrit la basse et ses élèves la réalisent. Toutefois, l'un des premiers, il utilise le quintette à cordes, base de l'orchestre moderne. Le ballet occupe toujours dans ses opéras une place très grande et, durant un siècle, la musique instrumentale européenne emprunte en partie ses formes aux opéras français : menuets, gavottes, chaconnes, bourrées.

Peut-être plus intellectuel que sensible, LULLY apporte au genre de l'opéra toutes les qualités du classicisme[6] : équilibre, majesté, grandeur, mais ne peut en éviter quelques inconvénients : solennité un peu froide, manque de vie et de force dramatique, lenteur de l'action.

3. L'OPÉRA EN ANGLETERRE

À cette époque, l'Angleterre possède un grand musicien : l'organiste Henry PURCELL (1659-1695). Influencé par les Italiens auxquels il emprunte l'usage de la basse obstinée et par les œuvres chorales des Français, il garde pourtant sa personnalité, formée de puissance, d'audace, d'élégance.

Outre des pages instrumentales, des œuvres vocales religieuses (anthems, canons, hymnes, chants sacrés) et profanes (**catches**, odes), il écrit de la musique de scène, des **masques**, des opéras, le premier étant *Dido and Aeneas* (*Didon et Énée*, 1689).

4. L'OPÉRA EN ALLEMAGNE

L'opéra italien, dont le rayonnement s'étend rapidement sur toute l'Europe occidentale, tente de s'implanter en Allemagne. Mais les compositeurs germaniques accordent peu d'intérêt à ce genre profane. SCHÜTZ, cependant, fait un essai sans lendemain avec son seul drame lyrique, le premier en langue allemande, *Dafné*, qui, bien que représenté en 1627, n'a pas été conservé. Après 1678 seulement, l'opéra devient à Hambourg un genre national, mais il tombe rapidement dans la trivialité et s'apparente plus aux jeux du cirque qu'à un spectacle véritablement artistique.

Catch, forme de musique vocale à trois voix ou plus, dérivée du canon, qui entrelace les mots et les entrées pour obtenir des effets plaisants.

Masque ou **mask**, genre correspondant au ballet de cour français ou à la « mascherata » italienne, c'est-à-dire unissant action, chant, danse. Le masque atteint son apogée durant le premier quart du XVIIᵉ siècle.

B. LA MUSIQUE RELIGIEUSE

À côté de la musique liturgique, étroitement liée aux cérémonies du culte, existe une musique d'ordre spirituel, intermédiaire entre le sacré et le profane – d'où des interférences stylistiques –, quelque peu diversifiée selon les pays et qui trouvera sa place au concert.

1. L'ORATORIO EN ITALIE

Le Florentin Philippe DE NERI, fondateur de l'ordre des Oratoriens, avait coutume de faire chanter chaque jour, pour l'édification de sa communauté, des hymnes nommés *Laudi spirituali*, composés dans le style polyphonique, d'abord par

ANIMUCCIA, maître de la Chapelle pontificale, puis par PALESTRINA. Ces cantiques prennent peu à peu une forme dialoguée, deviennent narratifs et dramatiques, et le récitatif y apparaît. Ils comportent bientôt tous les éléments de l'opéra, mais sans mise en scène ni costumes, et s'expriment en langue latine ou vulgaire sur un texte religieux. Ce genre musical prendra le nom d'**oratorio**, du lieu de son exécution. Comme celle de la tragédie lyrique, son origine semble remonter aux mystères et aux représentations sacrées du Moyen Âge.

Le premier essai, assez primitif, la *Rappresentazione di anima e di corpo*, de Emilio DE CAVALIERI (1550 ?-1602), donné en 1600 à Rome dans la chapelle des Oratoriens, suscite de nombreuses imitations qui tentent de fixer peu à peu les caractéristiques du genre. Dès son apparition, l'oratorio connaît un grand succès dans toute la péninsule.

De renommée européenne, CARISSIMI (1605-1674), à qui nous devons seize messes, des motets, des cantates, perfectionne l'oratorio en langue latine, concrétisant les personnages, donnant plus d'importance à la mélodie, qu'il s'agisse des récits ou des airs, et tirant des chœurs des effets dramatiques émouvants. Parmi ses dix-sept oratorios se détache *Jephté*, qui traduit avec beaucoup de vérité le pathétique des situations.

2. L'ORATORIO ET LA CANTATE
EN ALLEMAGNE

De dimensions plus restreintes que l'oratorio, la cantate, qui met en relief la virtuosité des chanteurs, ne comprend, à l'origine, qu'un air pour voix seule. Peu à peu s'y adjoignent des ensembles et des récitatifs.

Bien que l'Italien CARISSIMI traite la cantate d'église et la cantate profane avec autant de soin que l'oratorio, c'est en Allemagne que se trouvent les plus grands compositeurs de cantates du XVIIᵉ siècle.

Le Thuringeois Heinrich SCHÜTZ (1585-1672), élève de GABRIELI, s'initie à Venise à la polyphonie autant qu'au récitatif cher aux Florentins et à l'art de MONTEVERDI. Nommé maître de chapelle à Dresde dès son retour en Allemagne, il y demeure toute sa vie, mais il séjourne épisodiquement dans diverses cours princières. Les **madrigaux** datant de son séjour à Venise ne constituent qu'une faible partie de son œuvre.

L'essentiel de sa création, d'esprit religieux, comprend des **Psaumes**, des **histoires sacrées** (genre proche de l'oratorio), des **symphonies sacrées**, des **Passions** qui présentent un grand intérêt par l'harmonieuse fusion du génie allemand et des conceptions italiennes.

Exécuté vers 1650 à Rome, *Jephté*, s'appuyant sur le *Livre des Juges*, décrit le combat victorieux du héros contre les Ammonites, et sa douleur de devoir sacrifier sa fille pour prix de sa victoire. Ce bref sujet, très dramatique, permet au compositeur de traduire magistralement la violence des sentiments par le figuralisme de l'écriture, suppléant ainsi à l'absence de décors, et aux artifices visuels de l'opéra.

En Allemagne du Nord s'impose l'organiste BUXTEHUDE (1637-1707) qui enrichit le répertoire spirituel de nombreux oratorios et de cantates dont l'exécution se répartit sur plusieurs jours, annonçant la cantate monumentale du XVIIIe siècle. Dans toutes ses œuvres se conjuguent le désir d'une construction solide et une grande variété d'accents.

Le **choral**, création allemande datant de la Réforme, se présente sous la forme d'une courte mélodie partagée en périodes semblables très nettes, qui s'intercale de plus en plus dans l'oratorio.

3. LE MOTET EN FRANCE

Écartés du drame lyrique par l'autorité toute-puissante de LULLY, les compositeurs français se tournent vers la musique religieuse.

Apprécié pour ses **messes en plain-chant** et ses **motets à grand chœur**, Henry DUMONT (1610-1684) utilise, l'un des premiers, la **basse continue**. À côté d'une vingtaine de ballets ou de divertissements de cour, Michel DELALANDE (1657-1726) enrichit la musique religieuse de soixante-et-onze grands motets et de cantates, exigeant de nombreux exécutants et unissant tradition française et acquis italiens. Marc-Antoine CHARPENTIER (1634 ?-1704), élève de CARISSIMI à Rome et l'un des meilleurs compositeurs de son temps, reste durant toute sa vie en dehors des postes officiels. Il accumule une importante production : hymnes, psaumes, cantiques, messes, motets, **histoires sacrées** pour des représentations théâtrales du collège de Clermont, mais également des pages profanes.

C. LA MUSIQUE INSTRUMENTALE

Parallèlement à l'art dramatique se manifeste, dès le début du XVIIe siècle, un renouveau de la musique instrumentale.

En Italie, le violon, porté à une perfection technique définitive par de grandes familles de luthiers (AMATI, GUARNERIUS, STRADIVARIUS), s'impose et suscite une florissante école avec Arcangelo CORELLI (1653-1713) qui fixe le type de la sonate et dont les œuvres exigent une remarquable virtuosité, puis Antonio VIVALDI (1678-1743), également compositeur d'opéras. Cependant, l'Italie compte quelques organistes et clavecinistes de valeur : Girolamo FRESCOBALDI (1583-1643), organiste de Saint-Pierre-de-Rome et, un siècle plus tard, Domenico SCARLATTI (1685-1757), qui dote le clavecin d'une variété inépuisable d'œuvres élégantes et délicates.

■ **Richard-Michel DELALANDE** ■
(1657-1726)

Claveciniste et organiste à Saint-Gervais, sous-maître de la Chapelle royale, compositeur de la musique de la Chambre (1685), puis surintendant (1689) enfin maître de la musique de la Chambre (1695), il est célèbre par ses grands motets (70), ses *Trois leçons de Ténèbres*, ainsi que par ses ballets.

Plain-chant, chant grégorien, sans ornements, composé de sons d'une durée presque toujours égale.

Basse continue, partie la plus grave d'une œuvre, servant de soutien à d'autres parties, vocales ou instrumentales. Son chiffrage indique les accords à réaliser.

■ **Marc-Antoine CHARPENTIER** ■
(vers 1634-1704)

Il étudie trois années à Rome. De retour à Paris, il se consacre surtout à la musique religieuse : motets, psaumes, cantiques, messes, histoires sacrées (préfigurant l'oratorio). À partir de 1672, il collabore, entre autres, avec MOLIÈRE, écrit des ouvertures et des intermèdes pour *Le Mariage forcé* (1672), *Le Malade imaginaire* (1673).

Violoniste et compositeurs, Antonio VIVALDI a écrit plus de 500 œuvres instrumentales, surtout des concertos dont il fixe la forme tripartite (Allegro – Adagio – Allegro) et qu'il publie en recueils. Ses célèbres *Saisons*, ne sont que les quatre premiers concertos d'un ensemble plus vaste.

Instrument à cordes pincées et à clavier, le **clavecin,** qui ne peut guère nuancer, sera supplanté par le piano à la fin du XVIII⁰ siècle.

Comme en Italie, le luth, instrument favori du XVIᵉ siècle, voit peu à peu sa vogue décroître en France où le clavecin, d'abord assez rudimentaire, puis perfectionné vers 1630, prend la première place[7]. Toute la dynastie des COUPERIN, organistes de Saint-Gervais à Paris : Louis COUPERIN (1626-1661), élève de CHAMBONNIÈRES (1602-1672), que l'on peut tenir pour l'un des fondateurs de l'école française de clavier, et surtout François COUPERIN, dit le Grand (1668-1733), virtuose renommé, auteur de *L'Art de toucher le clavecin*, rehausse l'éclat de notre école instrumentale, la plus célèbre d'Europe à l'époque. Elle atteint son apogée au XVIIIᵉ siècle avec Jean-Philippe RAMEAU et ses trois livres de *Pièces pour le clavecin*, véritables modèles du genre.

7. Clavecin du XVIIᵉ siècle.

CHAPITRE V

Le XVIIIᵉ siècle : apogée de la musique classique

L'Accord parfait, gravure de Moreau le Jeune, Bibl. des Arts décoratifs, Paris .

1. Intérieur rococo de l'église de Wies (Bavière), construite entre 1745 et 1754 par ZIMMERMANN.

Le désir d'évolution sociale, qui s'amplifie au XVIIIe siècle, explique les nouvelles orientations qui se font jour dans la vie culturelle. L'art, presque uniquement destiné à la Cour et à l'aristocratie, se maintient jusqu'à la fin de la période baroque, vers 1750. À partir de cette date, bien que le style galant et le rococo, issus du baroque[1], s'épanouissent encore dans les pays germaniques, le classicisme domine. Une classe bourgeoise aisée, qui émerge dans toutes les grandes villes d'Europe, intervient de plus en plus dans l'activité artistique.

L'abondance des concerts publics payants ou Académies, tels *Le concert spirituel*, créé en 1725, ou *Le concert des amateurs* (1769) auquel succède *La loge olympique*, des soirées privées dans les salons – celui du fermier-général LA POUPLINIÈRE les éclipsant tous – avec le concours de professionnels et d'amateurs, traduit une volonté d'élargir la diffusion de la musique. Les journaux de l'époque, en Angleterre, en Allemagne, en France (le *Mercure galant* puis le *Mercure de France*) signalent les manifestations prévues et en donnent un compte rendu ; la critique spécialisée fait son apparition dans toute l'Europe.

L'importance prise par la musique dans la société suscite une recherche de ses antécédents et de son évolution. Les premiers essais historiques voient le jour en Occident et les philosophes du siècle des Lumières, DIDEROT (*l'Encyclopédie*, 1751-1772), J.-J. ROUSSEAU (*Lettre sur la musique française*, 1753) en discutent. L'édition musicale, très active à Paris, à Londres, à Amsterdam, contribue à répandre les œuvres.

Dans les milieux artistocratiques, la préférence pour le goût italien, surtout dans l'opéra, s'estompe au cours du siècle, au moment où se constitue l'opéra-comique, plus proche des classes moyennes. Les œuvres religieuses, adoptant en partie le style du théâtre lyrique, s'éloignent quelque peu de leur esprit strictement liturgique pour devenir plus extérieures. La musique instrumentale prend de plus en plus d'autonomie et l'influence germanique s'y montre progressivement prépondérante.

A. LA MUSIQUE DRAMATIQUE EN FRANCE

1. L'OPÉRA

a. De Lully à Rameau

De la mort de LULLY jusqu'à l'avènement de RAMEAU, quelques musiciens maintiennent le prestige de la scène française.

Marc-Antoine CHARPENTIER (1634-1704), compositeur de grande valeur étouffé par la dictature de LULLY, malgré des qualités dramatiques certaines, ne donne qu'un seul opéra, *Médée* (1694) à l'Académie royale de Musique. CAMPRA (1660-1744), auteur de nombreuses tragédies lyriques et créateur de l'opéra-ballet, dont *l'Europe galante* (1697) et *les Fêtes vénitiennes* (1710), unit avec aisance les goûts italiens et français. DESTOUCHES (1672-1749) connaît le succès avec sa pastorale héroïque *Issé* (1697). Proche par le style de son maître CAMPRA, il écrit une dizaine d'ouvrages pour l'Académie royale de musique dont il devient directeur en 1728. Par la nouveauté de son harmonie, il prépare la voie à RAMEAU.

b. Rameau (1683-1764)

Né à Dijon, Jean-Philippe RAMEAU meurt à Paris âgé de 81 ans. Fils d'un organiste, il entre au collège des Jésuites, mais après quatre années d'études, il se voue entièrement à la musique, pour laquelle il manifeste d'excellentes dispositions depuis son plus jeune âge. Après un court voyage en Italie, il tient durant quelques mois les orgues de Notre-Dame en Avignon, puis celles de la cathédrale de Clermont-Ferrand. Sa vie errante le mène à Paris, Lyon, Dijon et à nouveau Clermont-Ferrand. En 1723, il s'établit définitivement à Paris où ont déjà paru son premier livre de *Pièces de clavecin* (1706) et son *Traité de l'harmonie* (1722). Désormais connu comme organiste, claveciniste et théoricien, RAMEAU, qui a publié un deuxième recueil de *Pièces de clavecin* (1724), devient maître de musique et organiste du riche fermier-général LA POUPLINIÈRE, passionné d'art, qui met à la disposition du musicien son orchestre et son théâtre et lui facilite l'accès de l'Opéra. Dès lors, et presque jusqu'à sa mort, RAMEAU, devenu depuis 1745 compositeur de la musique de la Chambre du roi, ne cesse d'écrire des ouvrages dramatiques.

Il n'aborde le théâtre qu'à l'âge de cinquante ans. Jusque-là, il affirme sa maîtrise dans la musique instrumentale et se fait connaître comme théoricien. Au *Traité de l'harmonie réduite à*

> " ... S'il s'agit de narrer ou de réciter quelques histoires ou autres faits de cette nature, il faut que le chant imite la parole, de sorte qu'il semble que l'on parle au lieu de chanter ; ainsi les cadences parfaites ne doivent y être employées qu'aux endroits où le sens se termine ; et c'est où l'on a besoin de toutes les connaissances, dont nous avons dit qu'un bon musicien devrait être doué, en s'attachant encore à exprimer les syllabes longues du discours par des notes d'une valeur convenable, et celles qui sont brèves par des notes de moindre valeur ; de sorte que l'on puisse en entendre le nombre aussi aisément que par la prononciation d'un déclamateur, quoique l'on puisse faire passer plusieurs syllabes longues et brèves sur des notes d'égale valeur, pourvu que l'on fasse entendre les longues dans le premier moment de chaque temps, et surtout dans le premier temps. "

RAMEAU, *traité de l'Harmonie réduite à ses principes naturels*, 1722.

ses principes naturels (1722) succèdent un *Nouveau Système de musique théorique* (1726), puis la *Génération harmonique ou Traité de musique théorique* (1737), la *Démonstration du principe de l'harmonie* (1750), enfin les *Nouvelles Réflexions sur la démonstration du principe de l'harmonie servant de base à tout l'art musical* (1752), que D'ALEMBERT résume dans ses *Éléments de musique théorique et pratique suivant les principes de M. Rameau.* Ces ouvrages à base scientifique établissent les règles de l'harmonie moderne avec la notion de basse fondamentale, d'**accord,** de mode, de **cadence,** de **modulation.**

À partir de 1733, les circonstances amènent RAMEAU à écrire de nombreuses œuvres lyriques[2] : tragédies (*Hippolyte et Aricie,* 1733 ; *Castor et Pollux,* 1737 ; *Dardanus,* 1739), pastorales héroïques, comédies lyriques (*Platée,* 1745), opéras-ballets (*Les Indes galantes,* 1735 ; *Les Fêtes d'Hébé,* 1739) et ballets.

2. RAMEAU, **premières mesures des** *Paladins,* **1760.**

Peu sociable et d'une franchise brutale, aimant l'étude et la méditation, RAMEAU doit cependant lutter contre ceux qui veulent l'opposer aux lullistes, puis contre les encyclopédistes, admirateurs des « Bouffons » et de la mélodie italienne. Mais il poursuit inlassablement son œuvre. De forme traditionnelle, l'opéra de RAMEAU diffère de celui de LULLY par sa richesse d'écriture et sa force dramatique. En accordant au récitatif accompagné plus de souplesse et de variété, il le rapproche des airs. Les chœurs, en régression chez les Italiens, mais déjà importants dans les opéras de LULLY, font corps, ici, avec l'action. RAMEAU donne au ballet une très large place. Ses danses (menuets, gavottes, sarabandes, bourrées, rigaudons), pleines d'élégance et de finesse, gardent chacune leur caractère particulier et soutiennent l'intérêt de l'œuvre. Enfin, il multiplie l'emploi des machines (décors animés) qui retiennent l'attention. La musique instrumentale prend une importance considérable. Ouvertures, symphonies, préludes et interludes préparent la naissance de la symphonie moderne.

Puissant musicien de théâtre, savant harmoniste au langage raisonné – trop savant au dire de ses ennemis –, RAMEAU exprime de manière originale son sens du coloris mélodique et orchestral et traduit de façon magistrale le sentiment dramatique.

c. Gluck (1714-1787) et la réforme de l'opéra

Né dans le Haut-Palatinat, Christoph-Willibald GLUCK, fils d'un garde forestier, fait ses études musicales comme enfant de chœur, puis circule de ville en ville comme violoniste et chanteur ambulant. Après un séjour à Prague puis à Vienne, il se rend à Milan, en 1737, dans la suite du prince lombard MELZI et devient l'élève de SAMMARTINI durant quatre années. Il débute alors au théâtre avec *Artaserse*, accueilli avec succès, et compose ses dix premiers opéras dans le goût italien. Déjà célèbre, il va à Londres, où HAENDEL triomphe, en 1745. Nommé maître de chapelle de l'impératrice Marie-Thérèse à Vienne, il fait connaissance du librettiste CALZABIGI qui souhaite une réforme de l'opéra. De leur collaboration naissent *Orphée et Eurydice* (1762), puis *Alceste* (1767). Dans le même temps, GLUCK écrit, à la demande du comte DURAZZO, des opéras-comiques en français sur des livrets de DANCOURT, FAVART, VADE, LESAGE. Grâce à l'appui de son ancienne élève, la reine Marie-Antoinette, il fait représenter à Paris son premier opéra français, *Iphigénie en Aulide* (1774) sur un livret du bailli DU ROULET. Il donne alors une traduction d'*Orphée* (1774), d'*Alceste* (1776) et écrit *Armide* (1777).

Les partisans du **bel canto** et de l'opéra italien suscitent la rivalité du Napolitain PICCINI (1728-1800), précurseur de ROSSINI. Tous deux composent un opéra *Iphigénie en Tauride* (1779) qui obtient un succès semblable. Gluckistes et piccinistes s'affrontent, mais finalement l'œuvre de GLUCK tient seule l'affiche.

Après l'échec de son *Écho et Narcisse* (1779), il retourne à Vienne où il restera jusqu'à sa mort, laissant une centaine d'opéras.

Dès ses premières œuvres – comme il l'affirme dans la préface d'*Alceste* et dans ses écrits postérieurs – et sous diverses influences (rencontre de CALZABIGI, théories de J.-J. ROUSSEAU), GLUCK revient à la simplicité, au naturel. Par une sorte de retour au drame antique, il cherche à peindre les sentiments humains avec la plus grande exactitude, soumet la musique à la poésie et accorde au livret une importance primordiale. Il supprime le **prologue**, abandonne l'**aria da capo** qui ralentit l'action, élimine le clavecin de l'orchestre ainsi que les ornements et vocalises sans lien avec l'expression, mais conserve l'**ouverture** instrumentale qui traduit le caractère de l'œuvre.

❝ Lorsque j'entrepris d'écrire la musique d'*Alceste*, je me proposai de la dépouiller entièrement de tous ces abus qui, introduits ou par la vanité mal entendue des chanteurs, ou par une complaisance exagérée des maîtres, défigurent depuis longtemps l'opéra italien, et qui, du plus pompeux et du plus beau de tous les spectacles, en font le plus ridicule et le plus ennuyeux. Je pensai à restreindre la musique à son véritable office, qui est de servir la poésie par l'expression et par les situations de la fable, sans interrompre l'action ou la refroidir avec des ornements inutiles, et je crus qu'elle devait être au poème ce que sont à un dessin correct et bien agencé la vivacité des couleurs et le contraste bien assorti des lumières et des ombres, qui servent à animer les figures sans en altérer les contours... ❞

GLUCK : dédicace d'*Alceste* au grand-duc de Toscane (extrait).

Aria da capo, air en trois parties (ABA), la troisième reprenant la première.

L'orchestre joue un rôle expressif et accompagne les récitatifs. GLUCK y introduit le trombone et emploie de manière très personnelle le timbre de chaque instrument. La puissance de son génie le place parmi les plus authentiques créateurs du drame musical moderne.

2. L'OPÉRA-COMIQUE ET L'OPERA BUFFA

D'origine populaire, l'opéra-comique – issu en partie, comme le drame lyrique, des mystères du Moyen Âge – se forme à Paris au XVIIIe siècle dans les foires Saint-Laurent et Saint-Germain.

3. Théâtre en plein air de la foire Saint-Germain.

Vaudeville, chanson populaire urbaine, à une voix, dont les couplets syllabiques reprennent la même mélodie.

Ariette, air de brève dimension, non dramatique.

Les spectacles forains, caractérisés par l'alternance du **parlé** et du **chanté**, comprennent des parodies d'opéras et des **vaudevilles**, mélodies populaires connues dont l'abondante diversité peut satisfaire à toutes les situations. Plus tard, quelques musiciens, dont Jean-Claude GILLIERS (1667-1737), compositeur attitré de la Comédie-Française, et Joseph MOURET (1682-1738), surnommé le « musicien des grâces », écrivent de brèves **ariettes** originales destinées à remplacer les vaudevilles.

De nombreux démêlés compliquent la tâche des acteurs : LULLY, fort de son privilège de l'Académie royale de musique, leur défend de chanter et d'utiliser plus de quatre violons et un hautbois ; héritière de la Comédie-Italienne supprimée en 1697, la Comédie-Française leur interdit tout spectacle comportant des dialogues. Ingénieux, ils y suppléent par des écriteaux descendant des cintres au moment voulu, par des pantomimes coupées de chansons exécutées par le public, les acteurs faisant les gestes.

Enfin, le **théâtre de la Foire**[3] obtient, en 1716, la levée de toutes les interdictions et peut représenter alors des pièces comprenant des chants, des danses, des parties instrumentales, et appelées bientôt opéras-comiques. Cependant, jusqu'au milieu du XVIIIᵉ siècle, la musique n'occupe dans ces farces plus ou moins grossières qu'une place assez restreinte et l'intérêt réside surtout dans les textes de LESAGE ou de PIRON.

Vers la même époque, en Italie, l'usage veut que des intermèdes comiques s'intercalent entre les actes de l'opéra, rompant ainsi la solennité du spectacle. Bientôt ces intermèdes, représentés seuls, se développent et constituent l'opera buffa auquel Alessandro SCARLATTI (1659-1725), Francesco DURANTE (1684-1755), Leonardo VINCI (1690-1730), PERGOLÈSE (1710-1736) donnent une forme équilibrée.

Apparenté par sa coupe à l'**opera seria** (drame lyrique), l'**opera buffa** s'en différencie par le choix des sujets très simples, empruntés au milieu bourgeois ou paysan, par le nombre des personnages, réduit à trois ou quatre, dont un personnage bouffon, par un style plein de vie et d'entrain. Contrairement à l'opéra-comique, l'opera buffa n'admet que le parlé.

La représentation à l'Opéra, en 1752, de *La Serva padrona (La Servante maîtresse)* de PERGOLÈSE, jouée par une troupe italienne, obtient un succès triomphal et déchaîne la **Querelle des bouffons** entre les tenants de la musique française et ceux de la musique italienne. La famille royale, les écrivains entrent dans le conflit. Jean-Jacques ROUSSEAU (1712-1778), fervent partisan des Italiens, écrit une pastorale, *Le Devin du village* (1752), accueillie avec faveur, et publie sa *Lettre sur la musique française* (1753), dans laquelle il affirme que notre langue est « peu propre à la poésie et point du tout à la musique ». D'aussi partiales assertions provoquent de vives réactions de la part des musiciens, notamment RAMEAU, alors principal représentant de l'école française.

Dans la seconde moitié du XVIIIᵉ siècle, l'opéra-comique, perdant peu à peu le caractère de pièce à vaudevilles et à ariettes, acquiert sa forme définitive et toute une lignée de compositeurs illustre cette nouvelle conception théâtrale de plus en plus appréciée du public.

Un des premiers, le Napolitain DUNI (1709-1775) qui, après de brillants succès en Italie se fixe en France, écrit de véritables comédies lyriques.

Puis MONSIGNY (1729-1817), considéré avec PHILIDOR et GRÉTRY comme l'un des créateurs du genre, auteur des *Aveux indiscrets* (1759), de *Rose et Colas* (1764), du *Déserteur* (1769), trouve en SEDAINE un excellent librettiste et montre dans ses œuvres une fraîcheur et une spontanéité qui font oublier son insuffisance technique.

■ **Alessandro SCARLATTI** ■
(Palerme 1660-Naples 1725)

On lui doit près de 125 opéras, des messes, des oratorios, des cantates, des pièces pour clavecin et pour orgue.
Il utilise avec brio dans ses opéras l'ouverture « à l'italienne » (vif, lent, vif).

■ **Giovanni Battista PERGOLÈSE** ■
(Pezi 1710-Padrona 1736)

Sa *Serva Padrona* (1733) provoqua à Paris, en 1752, la « guerre des Bouffons ».
Son *Stabat Mater* demeure une de ses œuvres les plus célèbres.

❝ … Je crois avoir fait voir qu'il n'y a ni mesure ni mélodie dans la musique française, parce que la langue n'en est pas susceptible ; que le chant français n'est qu'un aboiement continuel, insupportable à toute oreille non prévenue ; que l'harmonie en est brute, sans expression, et surtout uniquement un remplissage d'écolier ; que les airs français ne sont point des airs ; que le récitatif français n'est point du récitatif. D'où je conclus que les Français n'ont point de musique et n'en peuvent avoir, ou que si jamais ils en ont une, ce sera tant pis pour eux. ❞

J.-J. ROUSSEAU : *Lettre sur la musique française* (extrait).

Organiste de la Marienkirche de Lübeck à partir de 1668, Dietrich BUXTEHUDE est le compositeur le plus célèbre des précurseurs de J. S. BACH. HAENDEL, MATTHESON, BACH lui rendirent visite.

PHILIDOR (1726-1795), plus connu d'abord comme joueur d'échecs que comme musicien, triomphe à l'Opéra-Comique grâce à son sens de la scène et à sa maîtrise, avec *Blaise le savetier* (1759), *Le Jardinier et son Seigneur* (1761), *Tom Jones* (1765).

GRÉTRY (1741-1813), le théoricien du groupe, publie en 1795 trois volumes de *Mémoires ou Essais sur la musique*, pleins d'idées originales et neuves. Ses œuvres : *Le Huron* (1768), *le Tableau parlant* (1769), *Les Deux avares* (1770), *L'Amant jaloux* (1778), *Richard Cœur de Lion* (1784), traduisent ses évidentes qualités théâtrales et contiennent quelques pages agréables encore chantées de nos jours.

DALAYRAC (1753-1809) compose, en vingt-cinq ans, soixante et une œuvres dramatiques, dont *Nina ou la Folle par amour* (1786) reste la plus connue.

B. L'ART ALLEMAND

Tandis qu'en France RAMEAU et GLUCK, réformant l'opéra, créent les modèles du genre, les Allemands apportent tous leurs soins à la musique religieuse. Les œuvres profanes elles-mêmes reflètent ce sérieux et ce sens de la construction grandiose, abstraite, sévère et un peu mathématique qui caractérisent l'esprit germanique.

1. LES PRÉCURSEURS DE BACH

Après SCHÜTZ, une série de compositeurs plus ou moins originaux apporte sa contribution à la formation d'un art allemand : BUXTEHUDE (1637-1707), PACHELBEL (1653-1706), KUHNAU (1660-1722), prédécesseur de J.-S. BACH à Saint-Thomas de Leipzig, Heinrich BACH (1615-1703) et ses deux fils, Johann-Christoph (1642-1703) et Johann-Michael (1648-1694), oncles de Jean-Sébastien.

2. BACH (1685-1750)

Issu d'une lignée de musiciens remontant au XVIe siècle, Jean-Sébastien BACH, né à Eisenach, le dernier de huit enfants, perd ses parents de bonne heure. Élevé par son frère aîné, organiste à Ohrdruf, il entre à quinze ans dans le chœur de l'église Saint-Michel de Lunebourg où il découvre la musique vocale polyphonique. Un voyage à Hambourg, un autre à Celle, lui font connaître les meilleurs artistes de son temps. Nommé organiste à Arnstadt (1703), il se rend à Lübeck (1705) pour entendre le célèbre BUXTEHUDE et assister aux soirées musicales de cette ville.

En 1707, il tient les orgues de Mülhausen et épouse sa cousine Maria-Barbara Bach, qui lui donnera huit enfants. L'année suivante, il obtient la place de maître de chapelle à la cour de Weimar. En cette même qualité, le prince d'Anhalt l'appelle à Coethen de 1717 à 1723. Période féconde durant laquelle Bach écrit beaucoup d'œuvres instrumentales. Dix-huit mois après la mort de sa femme, en 1720, il se remarie avec la cantatrice Anna Magdalena Wülken, dont il aura quatorze enfants. En 1723, il sollicite la succession de Kuhnau comme Cantor (maître de chapelle) de Saint-Thomas de Leipzig et y demeure jusqu'à sa mort, donnant l'exemple d'une vie chrétienne patriarcale, modeste et digne, toute consacrée à la musique et à la religion.

Innombrables, et inconnues de son temps, les œuvres de J.-S. Bach illustrent tous les aspects de la musique, sauf le théâtre lyrique.

Les obligations de sa charge l'amènent à fournir de nombreuses pages pour accompagner les offices : cinq cycles annuels complets de **cantates d'église**, à raison d'une par dimanche ; des **motets** destinés aux services religieux du matin et du soir ; quatre Passions, dont deux seulement subsistent, *la Passion selon saint Jean* (1723) et *la Passion selon saint Matthieu* (1729), oratorios très développés ; un *Magnificat* (1723) en latin ; l'*Oratorio de Noël* (1733-1734), suite de six cantates destinées aux six jours de la fête de Noël ; la *Messe en Si mineur* (1733-1738) qui s'apparente à la fois au rite catholique et au rite protestant.

4. J.-S. Bach, page manuscrite de *Prélude et fugue en sol mineur pour orgue*, première version (début du *Prélude*).

Pour la voix, BACH a aussi écrit quelques cantates profanes : *Cantate du café, la Chasse, Nous avons un nouveau gouvernement*.

Organiste renommé, virtuose remarquable, il compose en quarante années de nombreuses pages pour son instrument : préludes (ou **toccatas** ou fantaisies) et fugues[4], concertos, sonates, chorals.

L'importance des pièces pour clavecin dépasse peut-être celle de l'œuvre d'orgue : *Suites* françaises, anglaises, allemandes ; *Inventions* à deux voix ; *Symphonies* à trois voix. Mais surtout BACH publie le ***Clavier bien tempéré***, deux livres (1722, 1740-1744) contenant chacun vingt-quatre fugues et vingt-quatre préludes suivant les degrés de la gamme chromatique et destinés à un instrument à deux claviers égalisant les demi-tons chromatiques.

Il s'intéresse aussi à la musique pour solistes (clavecin, violon, violoncelle, flûte) et leur consacre de grandes partitions (concertos, suites, sonates).

Pour l'orchestre, comprenant à l'époque une vingtaine de musiciens, il compose des *Suites* formées de danses avec ouverture française, et six *Concertos brandebourgeois* datés de Coethen (1721).

Ses dernières œuvres : l'*Offrande musicale* (1747), et surtout l'*Art de la fugue* (1749) résument son style et marquent l'apogée de sa technique.

D'inspiration essentiellement religieuse, l'œuvre multiple de BACH, point final d'une lente évolution, synthétise de remarquable façon les ressources de la polyphonie et les procédés du style lyrique italien. Choral, prélude, fugue, suite, sonate, concerto composent la solide charpente qui la soutient. Si le musicien, qui écrit surtout pour l'église et les cours princières, n'innove guère, il donne cependant à chaque forme une perfection et une ampleur jamais atteintes avant lui. Par sa profondeur, sa maîtrise, son lyrisme intérieur, l'art de BACH, en avance sur celui de son temps, prépare toute la musique moderne et en constitue l'assise la plus inébranlable.

3. HAENDEL (1685-1759)

Contemporain de BACH, de RAMEAU, de Domenico SCARLATTI, HAENDEL, né à Halle, montre très jeune de remarquables aptitudes musicales. Cependant, par obéissance filiale, il commence des études de droit. Un voyage à Berlin en 1696 lui fait connaître l'opéra italien, alors dans tout son éclat. Durant un séjour à Hambourg en 1703, il devient l'ami du compositeur, théoricien et critique d'art Johann MATTHESON (1681-1764). Mais c'est en Italie, à Venise, Rome, Naples, Florence, où il se rend à partir de 1706, qu'il écrit ses premiers opéras. Il se lie avec SCARLATTI, CORELLI et l'évêque STEFFANI (1653-1728), organiste, chanteur et compositeur, dont l'influence se fait sentir sur son style vocal. Après un voyage dans le Hanovre en compagnie de ce dernier, il se fixe à Londres en 1712, y fonde l'Académie royale de musique (1719) et se fait naturaliser anglais (1726). En 1736, une attaque d'apoplexie arrête momentanément son activité, mais une cure à Aix-la-Chapelle lui rend la santé. Devenu aveugle – comme BACH –, il meurt en Angleterre.

Durant toute la première partie de sa vie, HAENDEL se consacre à l'opéra. Il en écrit une quarantaine, tous dans le style italien. Les plus connus datent de son séjour à Londres : *Radamisto* (1720), *Giulio Cesare* (1724), *Alessandro* (1726), *Riccardo I* (1727), *Tolomeo* (1728), interprétés par des chanteurs italiens. La concurrence de BONONCINI (1672-1762) l'oblige à fermer les portes de l'Académie, qu'il reconstitue l'année suivante. Les succès de ses rivaux, PORPORA (1686-1768) et HASSE (1699-1782) contrecarrent ses efforts. Bientôt, après avoir donné *Arianna* (1734), *Ariodante* (1734), *Alcina* (1735), *Atalanta* (1736), *Arminio* (1736), *Giustino* et *Bérénice* (1737), il abandonne l'opéra et se tourne vers l'oratorio.

De 1732 à 1751, il compose trente-deux oratorios, « épopées dramatiques » bien plus qu'œuvres religieuses, parmi lesquels *La Fête d'Alexandre* (1736), *Israël en Égypte* (1739), *Le Messie* (1742), *Judas Macchabée* (1746) conquièrent les auditoires anglais et le rendent célèbre.

Moins importante que son œuvre dramatique et religieuse, sa contribution à la musique instrumentale n'est pas pour autant sans intérêt. Sonates et trios pour divers solistes, concerti grossi pour orchestre, suites et fugues pour clavecin, concertos pour orgue et orchestre, qu'il exécute lui-même, atteignent à la perfection du genre.

HAENDEL amalgame les divers styles et fusionne toutes les tendances de son temps. Remarquable architecte des sons, il parvient à une étonnante largeur de facture. Ses chœurs polyphoniques revêtent une ampleur et une puissance expressive jusqu'alors inégalées. La souplesse de son inspiration mélodique, très voisine de celle des Italiens, lui permet d'exprimer l'impétuosité des sentiments aussi bien que la poésie de la nature. Par là, il se classe parmi les plus authentiques précurseurs du romantisme.

Alessandro SCARLATTI (1660-1725) écrivit une centaine d'opéras, ainsi que de nombreuses œuvres instrumentales et vocales. Son fils Domenico (1685-1757) doit sa renommée à sa musique de clavier.

Créateur de l'oratorio anglais qui associe l'opéra et le masque, HAENDEL choisit des sujets souvent pris dans la Bible, opposant l'individu à la foule ; d'où l'importance des chœurs. Ses oratorios furent exécutés au théâtre.

4. CONTEMPORAINS ET SUCCESSEURS DE BACH ET DE HAENDEL

Sans atteindre à la puissance de leurs illustres rivaux, quelques compositeurs jouissent au XVIIIe siècle d'une grande notoriété. Citons Johann MATTHESON (1681-1764), TELEMANN (1681-1767) et quatre des fils de J.-S. BACH qui prolongent la chaîne d'artistes dont ils sont issus : Wilhelm-Friedemann (1710-1784), très doué mais qui mène une vie désordonnée ; Karl-Philipp-Emanuel, considéré comme l'un des créateurs de la sonate classique ; Johann-Christoph (1732-1795), le plus classique de tous ; Johann-Christian (1735-1782), qui introduit en Angleterre l'art italien.

C. VIENNE, CAPITALE MUSICALE DE L'EUROPE

Pour la première fois, Vienne qui occupe une situation centrale en Europe, devient le plus important centre musical de la première moitié du XVIIe siècle. C'est là que prend forme le style classique avec HAYDN et MOZART qui se libèrent des contraintes habituelles des musiciens au service de princes. Une seconde fois, Vienne se situera à la première place au début du XXe siècle.

Trait d'union entre le Nord et le Sud, lieu de passage d'Allemagne en Italie, l'Autriche, par sa situation géographique, voit converger tous les grands courants intellectuels et artistiques. Il n'est donc pas surprenant que deux de ses meilleurs musiciens, HAYDN et MOZART, qui y voient le jour au XVIIIe siècle, tempèrent l'austérité et le sérieux germaniques par le brillant et le charme de l'art italien particulièrement cher à la société viennoise du temps.

1. HAYDN (1732-1809)

Originaire de Rohrau (Basse-Autriche), Franz-Joseph HAYDN, fils d'un charron amateur de musique, entre à la maîtrise de la cathédrale Saint-Étienne à Vienne, en 1740. Il y fait toutes ses études, se lie avec le célèbre poète MÉTASTASE et le compositeur PORPORA (1686-1768) et, pour gagner sa vie, exerce le métier de musicien ambulant. Entré au service du comte MORZIN, il occupe ensuite l'importante fonction de maître de chapelle des princes ESTERHAZY qui exigent une tâche écrasante : tous les matins, HAYDN compose ; l'après-midi, il fait répéter ses musiciens ; le soir, il dirige les exécutions. Grâce à son heureux caractère, il s'accommode fort bien de ce labeur incessant et de cette situation sans indépendance : à cette époque, en effet, les musiciens portent la livrée des domestiques et logent avec eux. Malgré son isolement, sa réputation se répand à l'étranger.

À la mort du prince, libéré de toute contrainte après vingt-neuf années de servitude, HAYDN jouit de sa liberté et se rend à Londres où il reçoit un chaleureux accueil. Adopté par l'Angleterre, il y retourne en 1794 et obtient le même succès. Refusant de s'y fixer, il rentre à Vienne.

Assez peu doué pour le drame lyrique – bien que *la Vera costanza* (1778-1779) ou *Orlando Paladino* (1782) annoncent les opéras mozartiens –, HAYDN compose de la musique religieuse (messes, requiems, motets, psaumes) et réussit particulièrement dans l'oratorio : *Les Sept dernières paroles du Christ* (1785), *La Création* (1798), *Les Saisons* (1801). Il oriente le genre vers une conception déjà romantique, avec des recherches d'effets pittoresques. Il fait de la **symphonie** une des grandes formes de la musique instrumentale et en écrit plus d'une centaine, très classiques de construction. Créateur du **quatuor à cordes**[5], il en compose un grand nombre, dont certains dénotent l'influence de Ph.-E. BACH, comme d'ailleurs une partie de sa production de **sonates** pour piano-forte.

Simplicité, sens de l'équilibre et du rythme, souci du timbre, telles apparaissent les caractéristiques de ses œuvres, plaisantes, pleines de vie, très représentatives d'un art classique arrivé à maturité.

5. Un quatuor à cordes : deux violons, alto et violoncelle.

6. La famille Mozart en 1780 par J.-N. Croce, Mozarteum, Salzburg.

Au clavier, Mozart et sa sœur, à droite, son père et, au centre, un portrait de sa mère.

2. MOZART (1756-1791)

Enfant prodige, Wolfgang-Amadeus MOZART[6], né à Salzbourg, reçoit – ainsi que sa sœur Maria-Anna, dite Nannerl –, les leçons de son père Léopold (1719-1787), violoniste, compositeur et surtout bon pédagogue. En 1762, le père, esprit réaliste, et les deux enfants entreprennent une tournée qui dure trois ans et passe par Munich, Vienne, Bruxelles, Paris (où sont gravées les premières œuvres du jeune Wolfgang), Londres, Amsterdam, Zürich. Partout, l'enfant émerveille les auditeurs par son habileté de claveciniste et d'organiste.

Salzbourg n'est plus qu'une halte d'où se préparent de nouveaux voyages. De 1769 à 1771, il se rend à Milan et à Naples avec son père. L'année 1775 le trouve à Munich. En 1777-1778, il va à Mannheim, puis à Paris où il vit dans l'isolement et la pauvreté avec sa mère qui meurt dans cette ville (1778). De retour à Salzbourg, MOZART, mûri par les épreuves, accepte de reprendre sa place de maître de chapelle de l'archevêque. Mais des dissensions l'amènent, en 1781, à se fixer à Vienne où il fréquente HAYDN et épouse en 1782 Constance WEBER, jeune femme simple et agréable, mais frivole et dépourvue autant que lui du sens de l'économie. Dès lors, il doit sans cesse lutter contre la misère et compter sur le dévouement de ses amis. Soucis, obstacles, échecs s'accumulent sur sa route. Il se heurte à l'indifférence du public, passionné de musique italienne. Épuisé par le travail, affecté par la mort de son père en 1787 et par la vie désordonnée de sa femme, il meurt le 5 décembre 1791. Une tempête de neige disperse ses amis venus pour l'accompagner au cimetière. Inhumé dans une fosse commune, il n'eut jamais de sépulture particulière.

Malgré une vie si courte, MOZART a composé plus de six cents œuvres, dont la plupart connaissent encore la faveur du public.

Si certains ouvrages se rapprochent de l'opéra, tels *Idoménée* (1781) ou *Don Juan* (1787), le plus grand nombre s'apparente à l'opéra-comique. L'esprit italien imprègne les premières partitions : *Bastien et Bastienne* (1768), *Il Re Pastore (Le Roi pasteur)*, livret de Métastase (1775). Mais en Allemagne, opéra-comique français et opera buffa italien fusionnent pour former le **singspiel**, créé à Leipzig par Hiller (1728-1804) à l'intention du peuple et de la petite bourgeoisie qui acceptent mal l'opéra italien. Mozart en fait une véritable forme d'art, introduisant dans l'**opera seria** des éléments de l'**opera buffa**, développant le **finale**, multipliant les chœurs. À cette conception appartiennent : *Die Entführung (L'Enlèvement au sérail)*, singspiel (1781), « turquerie » dans le goût de l'époque, écrite à la demande de l'empereur Joseph II d'Autriche ; *Le Nozze di Figaro (Les Noces de Figaro)*, livret de Da Ponte, opera buffa,

(1785) synthèse parfaite du texte et de la musique ; *Cosi fan tutte*, livret de Da Ponte, (1790) sommet du genre ; *Die Zauberflöte (La Flûte enchantée)*, livret de Schikaneder, singspiel (1791), féerie musicale, sorte d'opéra fantastique[7].

7. Un décor de *La Flûte enchantée* de Mozart.

Maître de chapelle durant plusieurs années, Mozart, cependant, écrit peu pour l'orgue mais compose des motets, des litanies, des vêpres, des offertoires, plusieurs messes et un *Requiem* (1791) auquel il travaille jusqu'à ses derniers jours. Il ne peut l'achever, et la pensée qu'il l'écrit pour sa propre mort le hante. Selon les habitudes de l'époque, sa musique religieuse présente un style brillant et extérieur, assez semblable à celui qui est alors de mise au théâtre.

Dans le domaine instrumental, MOZART contribue à l'évolution de tous les genres. Nous lui devons quarante-cinq sonates pour piano et violon, dix-neuf sonates d'église, dix-neuf sonates pour clavecin ou piano-forte, vingt-trois concertos pour clavier, neuf concertos pour violon, plusieurs concertos pour instruments à vent – ces œuvres laissant une grande place à la virtuosité –, de la musique de plein air (divertissements, sérénades), mais surtout il compose quarante-neuf symphonies dont les dernières laissent présager celles de BEETHOVEN.

Toutes les qualités de MOZART : tendresse, gaieté, bonne humeur, amabilité, simplicité, qui forment le fond de son caractère malgré ses graves soucis matériels et son état souvent maladif, se reflètent dans sa musique dont la mélodie pleine de fraîcheur et de séduction demeure l'élément primordial. Sa phrase, aérienne et limpide, coule sans effort apparent. Ses œuvres, souvent d'un esprit assez léger mais solidement équilibrées, savent parfois atteindre au pathétique. D'une déconcertante précocité, sans équivalent dans l'histoire de la musique, doué d'une intarissable facilité, MOZART, sans se montrer particulièrement novateur, possède aussi bien le sens du drame que celui de la symphonie.

8. Piano forte, musée du Conservatoire.

D. LES FORMES INSTRUMENTALES CLASSIQUES

La période assez complexe qui s'étend de 1750 à 1775 recouvre la fin du baroque, qui pousse le goût de la liberté dans l'expression personnelle à une extrême exaltation, surtout dans les pays germaniques très marqués par le mouvement *Sturm und Drang* (Ouragan et Emportement), déjà pré-romantique. Ce repli du baroque se conjugue avec des recherches nouvelles caractérisant le classicisme.

L'élément premier qui différencie ces deux styles se trouve dans la conception de la phrase musicale : le thème classique, court, aux limites précises, divisible généralement en fragments de quatre mesures, s'oppose à la ligne mélodique baroque, longue, sinueuse, ornée, de structure indécise. D'autre part, l'apparition de nouveaux instruments – clarinette et surtout **piano forte**[8], au début du XVIIIᵉ siècle – et le perfectionnement des familles orchestrales déjà en usage, permettent un enrichissement de l'écriture. La densité de l'harmonie ne peut plus s'accommoder de la **basse chiffrée**. Enfin, alors que le baroque privilégie la musique vocale – opéra et oratorio –, le classicisme, instauré par les grands compositeurs viennois, s'intéresse vivement aux formes instrumentales.

Piano forte ou **forte piano**, instrument à clavier, à cordes frappées, capable de varier l'intensité du son, d'où son nom. À l'inverse, le clavecin, à cordes pincées ne peut nuancer.

Basse chiffrée, partie de basse pourvue de chiffres indiquant à l'exécutant les accords qu'il doit jouer.

9. Premières mesures du *Clavier bien tempéré* de J.-S. BACH.

Exposition de fugue.

1. LA FUGUE

Issue de l'**imitation** et du **canon**, la **fugue**, parfaite incarnation de l'art polyphonique, se construit sur un seul thème appelé **sujet**, qui se fait entendre d'abord seul, ensuite à la dominante (**réponse**), accompagné d'une idée accessoire (**contre-sujet**). Lorsque le sujet a été entendu successivement à toutes les parties, l'**exposition**[9] de la fugue est terminée. Suit un développement bâti sur le sujet, entier ou fragmenté, modulant aux tons voisins. Une partie terminale (**strette**) amalgame les principaux éléments en un tissu contrapuntique de plus en plus serré, d'où son nom, avec des entrées du thème, très rapprochées.

2. LA SUITE

Transcription instrumentale des œuvres vocales du Moyen Âge, la **suite** se présente comme une succession de danses, telles que la **courante**, la **pavane**, la **gaillarde**, le **menuet**, le **passe-pied**, la **chaconne**, la **sarabande**, la **sicilienne**, l'**allemande**, le **rigaudon**. Mouvements vifs et mouvements lents dans le même ton alternent. D'une structure simple, bâtie sur un seul thème, chaque pièce est généralement de forme binaire : la première partie aboutit au ton de la dominante, la seconde ramène celui de la tonique.

En plein épanouissement au XVIIᵉ siècle et dans la première moitié du XVIIIᵉ, au moment de la vogue du clavecin (COUPERIN, RAMEAU, J.-S. BACH, SCARLATTI), la suite disparaît peu à peu vers le milieu du XVIIIᵉ siècle, alors que se précise l'architecture de la sonate bithématique.

3. LA SONATE

Monothématique durant la première moitié du XVIIIᵉ siècle, la sonate ne se différencie guère alors de la suite ; elle en garde l'alternance des morceaux, pour lesquels une indication de mouvement se substitue dans le titre au nom de la danse. Peu à peu, cette forme s'éloigne de la suite, devient plus abstraite et comprend trois ou quatre parties de coupe ternaire : **allegro**, **andante** ou **adagio**, **menuet** ou **scherzo**, **finale**, destinées à un instrument à clavier, auquel s'adjoint parfois un autre instrument. Le premier mouvement, édifié d'après un plan très précis (**forme sonate**), comporte l'**exposition** de deux thèmes contrastés, leur **développement**, leur **réexposition** et une conclusion appelée **coda**. Cette construction obéit à des règles tonales et architecturales très strictes qui n'entravent pourtant en aucune façon la liberté d'inspiration des compositeurs. HAYDN, MOZART, BEETHOVEN en ont donné les exemples les plus parfaits.

4. LA SYMPHONIE

Sonate pour orchestre, la symphonie classique, définitivement constituée au XVIIIᵉ siècle par STAMITZ (1717-1757) en Allemagne, puis GOSSEC (1734-1829) en France, accorde à tous les instruments une égale importance. Ici encore, nous retrouvons surtout les noms des grands classiques : HAYDN, MOZART, BEETHOVEN.

Sonate, œuvre composée de plusieurs mouvements (trois ou davantage) de caractère différent : **allegro** (mouvement vif), **andante** (mouvement lent), **finale** (souvent un allegro).

Parfois un **scherzo** ou un **menuet** s'intercale entre l'andante et le mouvement terminal.

La forme sonate, structure habituelle en trois parties (A,B,A) du premier mouvement de la sonate : **exposition** du ou des thèmes, développement sur les thèmes, réexposition ramenant au moins le thème principal.

5. LE CONCERTO

Le **concerto grosso**, destiné à un groupe d'instruments solistes **(concertino)** dialoguant avec le reste de l'orchestre, obtient un grand succès dans la première moitié du XVIIIe siècle (CORELLI, J.-S. BACH, HAENDEL).

Destiné à mettre en valeur la virtuosité d'un soliste qui s'oppose à l'orchestre, le **concerto**, très en faveur dès le XVIIe siècle, présente le même plan que la sonate. Sa vogue persiste encore.

6. L'OUVERTURE

Préface orchestrale d'un ouvrage lyrique dès la naissance de l'opéra, l'ouverture, depuis la seconde moitié du XVIIe siècle, se présente sous deux aspects : ouverture à la française (allegro fugué encadré par deux mouvements lents), ouverture à l'italienne (deux parties rapides séparées par un mouvement lent). Avec RAMEAU, puis GLUCK, sa forme devient plus libre et le lien qui l'unit à la partition se resserre. À la fin du siècle, elle prend la structure du premier mouvement de sonate. À partir de BEETHOVEN *(Egmont, Coriolan),* les compositeurs la concevront parfois comme une œuvre indépendante, résumant une action dramatique et non suivie de scènes lyriques. Elle prépare alors la voie au poème symphonique.

7. LA MUSIQUE DE CHAMBRE

Destinée à un soliste ou à un petit groupe de solistes – variable en nombre, jouant ensemble –, la musique de chambre[10], comme toutes les formes instrumentales, a son origine dans les transcriptions d'œuvres vocales. Depuis l'époque classique, elle adopte le plus souvent la structure de la sonate.

10. *Un concert*, esquisse à l'aquarelle par J. H. FRAGONARD, musée de Picardie, Amiens.

CHAPITRE VI

La Révolution et l'Empire : rupture et continuité

Rouget de l'Isle chantant pour la première fois
La Marseillaise, par Pils (détail),
Musée historique de Strasbourg.

Dans le dernier quart du XVIIIᵉ siècle, les manifestations d'un bouleversement social se font sentir dans la littérature et les arts avec des décalages plus ou moins importants.

La Révolution, qui met fin à l'Ancien Régime, hérite du clacissisme le goût de l'Antiquité et de la solennité, mais souhaite contrecarrer le sentiment religieux populaire et l'attachement à la royauté en exaltant l'ardeur patriotique des foules et leur amour de la liberté, et en bannissant dans les œuvres toute allusion aux classes privilégiées, sinon pour les abaisser.

Aux manifestations de masse, aux cérémonies civiques[1] – *fêtes de la Fédération, de la Raison, de l'Être Suprême* –, la musique prend une large part sous forme d'hymnes révolutionnaires ou de chants héroïques liés à l'actualité : la *Carmagnole*, *Ça ira*, la *Marseillaise* (ROUGET DE L'ISLE), le *Chant du départ* (MÉHUL). Leur édition – et surtout celle de partitions plus complexes – en est facilitée par la création du *Magasin de musique*.

1. Cérémonie civique à Paris, 1793, Fontaine de la régénération. Gravure d'HELMAN, Bibliothèque nationale.

Pour soutenir les énormes rassemblements, un orchestre puissant, surtout à base de cuivres et de percussions, devient indispensable. Ces apports instrumentaux de la période révolutionnaire ne laisseront pas indifférents les compositeurs romantiques, tel BERLIOZ.

Dans les deux dernières décades du siècle, le souci de former compositeurs et exécutants nécessite la création d'établissements d'enseignement : École royale de chant et de déclamation (1784), Musique de la Garde républicaine, créée par SARRETTE en 1789, qui donne naissance au Conservatoire de musique le 3 août 1795.

L'Empire ne rompt pas avec les artistes de l'époque précédente. Louis DAVID (1748-1825), qui régente les arts pendant la Révolution, recherche alors l'expression de la grandeur, à l'image de l'Antiquité[2]. Son art néoclassique, froid, austère, sévère, prend un caractère théâtral correspondant à l'esprit du temps. Sous l'Empire, il devient le peintre de Napoléon.

Amateur de musique italienne surtout vocale, l'Empereur apprécie cependant les compositeurs de l'époque révolutionnaire, partisans de la réforme gluckiste de l'opéra : MÉHUL, GOSSEC et LESUEUR, qui écrit une *Marche triomphale* pour son couronnement.

2. Jacques Louis David, *Le Serment des Horaces*, 1785, Paris, musée du Louvre.

66 De tous les beaux-arts, la musique est celui qui a le plus d'influence sur les passions, celui que le législateur doit le plus encourager. Un morceau de musique morale, et fait de main de maître, touche immanquablement le sentiment et a beaucoup plus d'influence qu'un bon ouvrage de morale, qui convainc la raison sans influer sur nos habitudes. 99

Lettre de Napoléon aux Inspecteurs du Conservatoire de musique de Paris (8 Thermidor, an V soit le 26 juillet 1797).

A. ŒUVRES DE CIRCONSTANCE

De nombreux amateurs produisent plusieurs milliers de chansons, souvent sans grande valeur, mais de féconds musiciens – certains ayant commencé leur carrière avant 1789 – contribuent, apparemment sans complexe, à la célébration des valeurs nouvelles.

Musicien d'origine liégeoise, marqué par les Encyclopédistes, GRÉTRY (1741-1813), déjà célèbre, traverse les années révolutionnaires sans beaucoup y participer : quatre hymnes seulement. Son goût l'oriente vers une production lyrique abondante dont *Richard Cœur de Lion* (1784) constitue le chef-d'œuvre et, à la fin de sa vie, vers des ouvrages théoriques.

GOSSEC (1734-1829), nommé directeur des fêtes nationales dès 1789, inspecteur du Conservatoire sous le Consulat et professeur de composition, se consacre en partie à ses fonctions. Il orchestre la *Marseillaise* et donne vingt-huit œuvres de circonstance, dont la *Marche lugubre* pour les obsèques de MIRABEAU, où il introduit les tam-tam, l'*Hymne sur la translation du corps de Voltaire au Panthéon*, l'*Hymne à la liberté*, le *Triomphe de la*

République. Mais son œuvre comprend également des pages religieuses, instrumentales et de la musique de théâtre.

Avec le *Chant du départ*, le *Chant du retour*, le *Chant de victoire*, entre autres, MÉHUL (1763-1817) a également participé à la création d'un répertoire civique.

Hymne, chant de louange. Le mot s'emploie au masculin pour une œuvre profane (l'hymne national), au féminin pour une œuvre religieuse (une hymne chrétienne).

B. L'ART DRAMATIQUE

En cette époque de transition – charnière du classicisme et du romantisme –, l'art dramatique, influencé par les conceptions gluckistes, connaît un développement sans précédent. De nombreuses salles de théâtre ouvrent leurs portes – une soixantaine à Paris –, représentant souvent des œuvres de circonstance sans grande originalité. Cependant, des musiciens de valeur se tournent volontiers vers l'opéra et surtout l'opéra-comique.

L'un des premiers, MÉHUL (1763-1817) donne une impulsion nouvelle à la musique dramatique. *Euphrosine et Coradin* (1790), *Stratonice* (1792), *le Jeune Henry* (1797) contiennent quelques pages d'une vigueur peu commune et d'un accent tout personnel. Avec *Joseph*, opéra-comique en trois actes, son chef-d'œuvre, il atteint à une perfection de style, à une noblesse d'expression qui font souvent songer à GLUCK. Deux recueils de sonates pour le piano-forte, quatre symphonies, de nombreuses romances attestent la souplesse et la variété de son inspiration et son goût pour les recherches instrumentales.

Italien de naissance, naturalisé français, CHERUBINI (1760-1842), fixé à Paris en 1788, remplit les fonctions de surintendant de la musique du roi depuis 1815 et devient directeur du Conservatoire en 1821. Ses œuvres religieuses (*Requiem*, 1816) et dramatiques (*Lodoïska*, 1791 ; *Médée*, 1797, qui obtient un triomphe, *Le Porteur d'eau*, 1800), ses quatuors témoignent d'un équilibre de la construction et d'une richesse qui en font l'un des plus grands compositeurs de son époque, dont la notoriété se répand dans toute l'Europe.

LESUEUR (1760-1837), maître de chapelle de Napoléon en 1804, professeur de composition au Conservatoire à partir de 1822, auteur d'un opéra, *Ossian ou les bardes* (1804)[3], révèle dans ses opéras-comiques un tempérament original et riche. Il a le sens des vastes ensembles et le goût de la musique descriptive qu'il transmet à BERLIOZ, son élève.

Henri MONTAN BERTON (1767-1844), fils du directeur de l'Académie royale de musique, montre une grande précocité. Après plusieurs drames lyriques très réussis (*Montano et Stéphanie*, 1799, *Le Délire*, 1802), il revient à l'opéra-comique traditionnel.

3. *Ossian ou les Bardes* de Jean François LESUEUR, dessins et costumes de BARTHÉLEMY (vers 1805), bibliothèque de l'Opéra, Paris.

François-Adrien BOIELDIEU (1775-1834) se produit d'abord comme pianiste, écrit des romances et des œuvres instrumentales. Mais une irrésistible vocation le pousse vers le drame lyrique. Ses premières partitions, *Le Calife de Bagdad* et *Beniowsky* (1800), connaissent un succès immédiat et lui assurent d'emblée une renommée européenne. Après huit années passées à Saint-Petersbourg (1803-1811) comme maître de chapelle de l'empereur de Russie et directeur de l'Opéra, il revient à Paris (1812), entre à l'Institut (1817) et devient professeur de composition au Conservatoire (1820). De son importante production se détachent *Les Voitures versées* (1808), *Jean de Paris* (1812), *Le Petit Chaperon rouge* (1818) et surtout *La Dame blanche* (1825). Inspirée de Walter SCOTT et teintée d'une mystérieuse poésie légendaire, cette œuvre, d'un romantisme tempéré, compte parmi les plus belles réussites de l'opéra-comique français[4]. Son inspiration fraîche et juvénile, la transparence et la pureté de sa ligne mélodique expliquent le surnom de « Mozart français » maintes fois donné à BOIELDIEU.

4. BOIELDIEU : décor de *La Dame blanche*.

CHAPITRE VII

Le XIXᵉ siècle : le romantisme

Liszt au piano par J. Danhauser, 1840.

Autour de Liszt, *contemplant le buste de* Beethoven, *deux musiciens debout,* Paganini *et* Rossini *à côté de Victor* Hugo.
Dans le fauteuil du centre, George Sand, *près d'elle* Dumas *père ; aux pieds de* Liszt, *Marie* d'Agoult.

Le romantisme littéraire, qui s'affirme comme une réaction contre la discipline classique peu à peu affaiblie, apparaît en Allemagne et en Angleterre dans le dernier quart du XVIIIᵉ siècle et gagne progressivement toute l'Europe. GOETHE (1749-1832), le plus grand écrivain germanique, a déjà donné *Werther* en 1774 et le premier *Faust* - si peu classique de forme - en 1790. L'œuvre des principaux poètes anglais (BYRON, SHELLEY, KEATS) se situe dans le premier quart du XIXᵉ siècle. En France, l'époque romantique, annoncée par Jean-Jacques ROUSSEAU, commence aux environs de 1820 - publication des *Méditations* de LAMARTINE (1796-1864) - et dure jusque vers 1850. CHATEAUBRIAND (1768-1848), auteur du *Génie du christianisme* (1802) et de *René* (1805) en semble le plus important initiateur, même si Victor HUGO (1802-1885) affirme, dans la préface de *Cromwell* (1827), qu'il en est le chef de file .

En ce début du XIXᵉ siècle, peintres et sculpteurs français participent à l'évolution des goûts artistiques, s'efforçant de traduire leurs passions. GÉRICAULT (1791-1824), GROS (1771-1835), DELACROIX (1798-1863) s'intéressent aux recherches coloristes à travers une technique fougueuse, prennent leurs sujets dans le monde contemporain ou le Moyen Âge, et l'exotisme les inspire souvent.

1. *Voyageur contemplant une mer de nuages* par Gaspar David FRIEDRICH (1815), Hambourg, Kunsthalle.

La Révolution a établi entre l'homme et l'art de nouveaux rapports qui se concrétisent au XIXᵉ siècle. Dans le domaine musical, une véritable mutation s'accomplit. Depuis les « classiques viennois », ni le compositeur ni son œuvre ne sont au service d'une fonction. Le mécénat des classes aisées a disparu en grande partie, au profit de concerts publics qui se créent durant tout le XIXᵉ siècle : Société des concerts du Conservatoire fondée par HABENECK en 1828, qui donne la première audition intégrale des neuf symphonies de BEETHOVEN ; Société des jeunes artistes (1851), appelée ensuite Concerts populaires (1861), due à PASDELOUP, qui essaie de faire connaître des œuvres contemporaines ; Concerts du Châtelet (1874), devenus Concerts Colonne, s'intéressant aux jeunes musiciens ; Nouveaux concerts, connus sous le nom de Concerts Lamoureux (1881), qui introduisent dans leurs programmes des partitions de compositeurs français. Le même phénomène se produit ailleurs, en France, et à l'étranger : Gevandhaus de Leipzig, orchestre philharmonique de Berlin, de Vienne. La critique devient une force puissante qui influence les compositeurs.

Chez les historiens et les amateurs cultivés, une curiosité s'affirme pour la musique ancienne et la musicologie fait son apparition, particulièrement avec le belge FÉTIS (1784-1871). Mais la majorité du public s'intéresse au théâtre lyrique - surtout à l'opéra-comique - et à la musique légère. Elle s'enthousiasme également pour les interprètes, auxquels on demande désormais de faire montre de virtuosité dans leurs exécutions.

L'évolution romantique se manifeste abondamment dans les pays germaniques, mais chaque nation y participe plus ou moins, exprimant ses tendances particulières. D'une manière générale, à la perfection abstraite, parfois un peu froide, de l'art classique qui exploite les sentiments généraux, se substitue le lyrisme, manifestation de l'individualisme, qui pousse l'artiste à transposer dans son œuvre ses états d'âme, ses joies et ses peines, et à donner le pas à la sensibilité et à l'imagination sur la raison[1]. Les sources d'inspiration se renouvellent, un langage original se forge qui privilégie les brusques silences et les accords dissonants, et demande un élargissement des moyens d'exécution, donc de l'orchestre ; le piano occupe une place de choix grâce à ses possibilités polyphoniques.

Les premiers romantiques essaient de couler leur pensée dans le moule classique traditionnel mais bientôt, rompant avec les structures codifiées trop rigides, ils s'en éloignent délibérément. Les genres qui permettent une amplification des images suggérées par un texte ou une idée se développent : lied dans les pays germaniques, mélodie en France, symphonie et poème symphonique dans toute l'Europe occidentale.

A. LE ROMANTISME EN ALLEMAGNE

Situé à la jonction de deux époques aux tendances opposées, BEETHOVEN exprime, dans ses premières compositions, la perfection classique mais, à la fin de sa vie, il concourt à l'achèvement d'un art qui va bouleverser toutes les habitudes musicales. Les successeurs adoptent ce nouveau style et se laissent séduire par la liberté d'expression, le goût du fantastique et du légendaire qui caractérisent essentiellement le génie allemand.

1. UN PRÉCURSEUR : BEETHOVEN (1770-1827)

Dernier classique et premier grand romantique, Ludwig VAN BEETHOVEN, artiste indépendant qui lutte toute sa vie contre les infortunes d'une existence douloureuse, naît à Bonn en Rhénanie. L'organiste de la Cour, NEEFE, l'initie à l'art de BACH. En 1787, il se rend à Vienne où il se fait entendre de MOZART ; mais la mort de sa mère l'oblige à rentrer à Bonn afin de s'occuper de ses deux jeunes frères. De retour à Vienne en 1792, il reçoit des conseils de HAYDN, travaille le contrepoint avec ALBRECHTSBERGER et la composition vocale avec SALIERI. Déjà les milieux aristocratiques l'apprécient comme pianiste et improvisateur. Mais les épreuves s'accumulent : surdité précoce (1796) qui l'isole du monde, déceptions sentimentales, difficultés matérielles, soucis que lui cause son neveu Karl, jeune dévoyé à sa charge. *Le Testament d'Heiligenstadt*, émouvant cri romantique, laisse deviner à la fois sa détresse et sa force d'âme. Muré dans sa solitude, il ne lui reste qu'un refuge : la musique.

2. Page du manuscrit de l'*Héroïque*.

Assez peu attiré par l'art vocal, BEETHOVEN écrit toutefois quelques recueils d'expressifs lieder et, en 1805, un opéra, *Fidelio* (d'après *Léonore* de BOUILLY), remanié en 1814, et pour lequel il compose successivement quatre ouvertures (trois portent le nom d'*Ouverture de Léonore*).

Maître incontesté de la musique instrumentale, il nous a laissé trente-deux **sonates** pour piano, dix **sonates** pour violon et piano, des **concertos**, seize **quatuors à cordes**, des **trios**, des **quintettes**, un **septuor**, de célèbres ouvertures *(Coriolan, Egmont, Léonore)*, neuf symphonies (la troisième : l'*Héroïque*, 1804[3] ; la sixième : *la Pastorale*, 1808 ; la neuvième : *Symphonie avec chœurs*, 1823, avec son finale écrit sur des paroles de l'*Ode à la joie* de SCHILLER). Sa *Messe solennelle en ré* date de 1823.

Nul artiste plus que BEETHOVEN n'a orienté l'art musical vers de nouvelles destinées : ayant rejeté les servitudes du passé, il ouvre la voie à la musique moderne. Profondeur de la pensée, richesse du style, ampleur du développement symphonique s'unissent pour donner des œuvres puissantes, solidement charpentées, qui atteignent à la grandeur et à la perfection.

2. LES PREMIERS ROMANTIQUES

a. Weber (1786-1826)

Né à Eutin, dans le Holstein, Carl Maria VON WEBER, cousin de Constance WEBER, la femme de MOZART, perd sa mère de bonne heure et suit son père, directeur d'une troupe théâtrale nomade, dans ses nombreux voyages. Il travaille la composition avec Michel HAYDN (frère de Joseph HAYDN) et l'abbé VOGLER, entreprend une tournée comme pianiste virtuose, dirige l'orchestre de l'opéra de Breslau, puis celui de la cour de Wurtemberg ; enfin, il devient chef d'orchestre du théâtre de Prague (1813). Appelé à Dresde en 1817 par le roi de Saxe, il y crée un opéra allemand destiné à lutter contre le théâtre italien. Tandis qu'il y fait jouer du MÉHUL, du BOIELDIEU, du GRÉTRY, du NICOLO – qu'il commente dans des articles de presse –, il constitue un répertoire nouveau et donne libre cours à son impérieuse vocation théâtrale, composant ses œuvres marquantes : le *Freischütz* (1821)[4], *Euryanthe* (1823), *Obéron*, écrit pour Londres (1826), qui annonce déjà les caractéristiques du drame wagnérien. Marié depuis 1817 à une chanteuse, Caroline BRANDT, WEBER, dont la situation n'est guère brillante, se rend en Angleterre pour la création d'*Obéron*, le 12 avril 1826. Depuis longtemps malade, il y meurt phtisique dans la nuit du 4 au 5 juin 1826.

Excellent pianiste, il écrit diverses pages pour son instrument : sonates, *Invitation à la valse*. Il compose également une messe, deux symphonies et de nombreux lieder. Mais il doit son plus grand titre de gloire à la création de l'Opéra national allemand qui, malgré ses imperfections, exerce une influence indéniable sur les compositeurs de la première moitié du XIXᵉ siècle.

3. Décor du *Freischütz* de WEBER.

b. Schubert (1797-1828)

Fils d'un maître d'école, Franz SCHUBERT naît à Lichtenthal, près de Vienne. Très doué, il reçoit d'abord les leçons de son père, puis il entre à la chapelle impériale de Vienne et travaille

4. SCHUBERT accompagne au piano le célèbre chanteur Michaël VOGL, d'après MORITZ VON SCHWIND, Vienne, musée Schubert.

la composition avec SALIERI. Durant trois années, de 1813 à 1816, il se résigne à aider son père dans sa tâche d'instituteur. Grâce à l'aide de son ami Franz VON SCHOBER, au faible bénéfice de la vente de ses œuvres et à quelques tournées, il peut ensuite mener une existence indépendante, un peu bohème, au milieu d'un petit groupe sympathique dont les réunions (les « Schubertiades ») ne manquent pas d'entrain. SCHUBERT, timide et assez disgracié par la nature, y donne libre cours à sa gaieté et à son insouciance. Après une vie simple et modeste passée en majeure partie à Vienne, il commence à être connu vers 1825, quatre années avant sa mort, due au typhus.

D'une ampleur unique dans l'histoire de la musique malgré une existence si courte, l'œuvre de SCHUBERT – où transparaissent parfois quelques faiblesses – comprend dix **symphonies** (dont l'*Inachevée*), des **trios**, des **quatuors**, des **quintettes**, de la musique de scène, des pièces pour piano, des **moments musicaux**, des œuvres chorales profanes, des **messes**, des **psaumes**, des **motets**. Mais il innove surtout dans le genre du **lied**[5]. Il en écrit plusieurs centaines, d'une variété et d'une richesse étonnantes, sur les vers des plus grands poètes allemands, GOETHE, SCHILLER, HEINE : ballades (*Le Roi des Aulnes*, *Marguerite au rouet*) ; chansons à couplets, d'esprit populaire (*Rose des Bruyères*) ; tableaux de genre (*La*

Lied : composition vocale essentiellement germanique, d'allure populaire, divisée en strophes, qui unit intimement musique et poème.

Truite) ; mélodies de grande expression lyrique *(Le Sosie)* ; scènes dramatiques *(La Jeune Fille et la Mort)* ; cycles ou succession d'épisodes relatant une histoire sentimentale *(La Belle Meunière, Le Voyage d'hiver)*.

Maître du **lied** moderne, SCHUBERT évoque et complète par l'accompagnement pianistique l'atmosphère du texte. Sans idées préconçues, sans théorie personnelle, il compose avec l'aisance d'un improvisateur et prouve sa maîtrise dès ses premières œuvres.

c. Mendelssohn (1809-1847)

Félix MENDELSSOHN-BARTHOLDY, fils d'un riche banquier juif converti au luthéranisme, naît à Hambourg. Dès sa plus tendre enfance, il montre, ainsi que sa sœur Fanny, d'extraordinaires dispositions musicales. Au cours de ses voyages en France, en Angleterre, en Italie, il recueille de grands succès de virtuose. Nommé, en 1834, directeur de la musique à Düsseldorf, il dirige à partir de 1835 les concerts du Gevandhaus de Leipzig, révélant au public des œuvres anciennes et faisant connaître de jeunes compositeurs. En 1843, il fonde un conservatoire dans cette ville, qui redevient ainsi un grand centre artistique.

Ses séjours en Angleterre et en Italie élargissent son inspiration et il introduit dans la musique le thème de la mer. Ses cinq symphonies, dont l'*Écossaise*, la *Réformation*, l'*Italienne*, ses ouvertures *(Ruy Blas, La Grotte de Fingal)*, sa musique de scène pour *Antigone*, *Le Songe d'une nuit d'été*, *Athalie*, ses oratorios *(Paulus, Élie)*, ses quatuors, ses sonates, ses pièces pour piano *(Romances sans paroles)*, ses lieder, marquent les étapes d'une vie calme et heureuse, exempte de graves soucis.

Bien qu'imprégné des mêmes tendances novatrices que ses contemporains, MENDELSSOHN fait preuve d'un romantisme tempéré. Il sait modérer les excès de l'imagination et assure à la structure une prédominance toute classique. Malgré une expression parfois un peu superficielle, son sens du pittoresque, sa finesse d'instrumentation, sa transparence orchestrale, son écriture élégante séduisent l'auditeur.

d. Schumann (1810-1856)

Malgré des dons musicaux certains, Robert SCHUMANN[6], né à Zwickau en Saxe, s'oriente d'abord vers la littérature. Son père meurt en 1826 et, pour obéir à sa mère, il suit les cours de droit de l'université de Leipzig. Étudiant romantique, exalté et mélancolique, il n'abandonne pas pour autant l'étude du piano et prend des leçons avec Frédéric WIECK, professeur renommé.

5. SCHUMANN.

Un des premiers clichés daguerréotypes, 1850. Ce procédé de reproduction photographique remet la peinture en question dès sa découverte en 1840.

À la suite d'un concert donné en 1830 par le célèbre violoniste PAGANINI (1782-1840), sa vocation s'affirme. Il se destine à la carrière de virtuose, mais un accident, qui le prive de l'usage d'un doigt, l'oblige à y renoncer. Dès lors, il se consacre à la composition et à la critique musicale. En 1840, après une longue lutte contre son futur beau-père, il épouse la grande pianiste Clara WIECK, son inspiratrice et son interprète. Depuis 1843 professeur de piano et de composition au conservatoire de Leipzig, fondé par MENDELSSOHN, il s'établit à Dresde en 1844, après une tournée de concerts en Russie avec sa femme. Il devient chef d'orchestre à Düsseldorf (1853) à la mort de HILLER. Mais la maladie mentale dont il est atteint depuis 1833 s'aggrave. Il finit par perdre le contrôle de ses actes et termine sa vie dans l'inconscience totale.

6. *Paganini* par E. DELACROIX, 1831, Washington, Phillips collection.

7. DELACROIX, *Esquisse pour le tableau de George Sand écoutant Chopin jouer du piano*, musée du Louvre, Cabinet des dessins.

Ses aspirations, ses rêves, il les confie au piano, en des suites de pièces souvent courtes, très libres de forme et riches d'invention : *Novelettes, Feuilles d'album, Album pour la jeunesse, Scènes d'enfants, Carnaval, Kreisleriana, Papillons, Danses des Davidsbundler*. Mais, comme SCHUBERT, il réserve à la voix ses pensées les plus intimes et les plus bouleversantes. Ses nombreux lieder séparés et ses cycles (*La Vie et l'Amour d'une femme, Amour de poète*, sur des vers de HEINE), d'une intense émotion, expriment la tendresse, l'inquiétude, la joie. De sa musique de chambre, plusieurs œuvres se détachent : *Études symphoniques*, sonates, *Trio en ré mineur, Quintette*. Les grands ensembles : quatre symphonies, concertos, oratorios (*Manfred,*

Faust, Le Paradis et la Péri), qui présentent parfois quelques gaucheries d'écriture, n'en révèlent pas moins son tempérament exubérant, son exaltation romantique.

3. VIRTUOSES – COMPOSITEURS

a. Chopin (1810-1849)

D'origine polonaise par sa mère, mais d'ascendance lorraine du côté paternel, Frédéric CHOPIN qui voit le jour près de Varsovie, entreprend, en 1828, en qualité de pianiste, des tournées qui obtiennent le plus grand succès. Déjà très apprécié dans son pays natal et en Autriche, il vient à Paris (1831) où il fréquente le milieu aristocratique et se trouve mêlé par ses amis à tout le mouvement littéraire et artistique. Il fréquente LISZT, BERLIOZ, DELACROIX, HEINE, BALZAC, HUGO, LAMARTINE, s'éprend de George SAND et passe l'hiver de 1838 aux îles Baléares en sa compagnie. Mais ce séjour à Majorque, sous une pluie désespérante, dans une demeure inconfortable, démoralise le musicien et n'améliore guère sa santé, déjà très compromise. Revenus en France, George SAND et CHOPIN[7] vivent tantôt à Paris, tantôt à Nohant, puis se séparent en 1847. Malgré son état précaire, CHOPIN se rend à Londres (1848). Il rentre à Paris, miné par la phtisie.

Pianiste incomparable, d'une sensibilité subtile, il exprime dans son œuvre, uniquement destinée à son instrument (**préludes, études, polonaises, mazurkas, valses, nocturnes, impromptus, concertos, sonates**), le drame de sa patrie et celui de son existence. Sa phrase mélodique, pleine de charme et d'expression, se détache nettement de l'accompagnement, dans lequel il use de raffinements harmoniques très personnels que ses successeurs lui emprunteront. Romantique, non révolutionnaire, il n'a pas la désinvolture d'un BERLIOZ ou d'un LISZT en face des formes traditionnelles, mais il apporte au style pianistique un renouvellement qui servira d'exemple.

b. Liszt (1811-1886)

Franz LISZT naît à Raiding en Bohême, province hongroise. Son père, comptable du prince ESTERHAZY, joue de plusieurs instruments et commence l'éducation musicale de son fils. Élève de CZERNY pour le piano et de SALIERI pour l'harmonie, le jeune LISZT, précoce virtuose, passe deux années à Vienne, où BEETHOVEN apprécie son talent, puis se rend à Paris dans l'intention d'entrer au Conservatoire. Mais, étranger, il doit y renoncer (1823). Il donne des concerts à Paris et à Londres, perd son père (1827) et connaît un accès de mysticisme.

❝ ... Loin d'ambitionner les fracas de l'orchestre, Chopin se contenta de voir sa pensée intégralement reproduite sur l'ivoire du clavier, réussissant dans son but de ne lui rien faire perdre en énergie, sans prétendre aux effets d'ensemble et à la brosse du décorateur.
On n'a point assez sérieusement et assez attentivement réfléchi sur la valeur des dessins de ce pinceau délicat, habitué qu'on est de nos jours à ne considérer comme compositeurs dignes d'un grand nom, que ceux qui ont laissé au moins une demi-douzaine d'opéras, autant d'oratorios et quelques shymphonies, demandant ainsi à chaque musicien de faire tout, et un peu plus que tout. ❞

CHOPIN par LISZT.

8. Manuscrit autographe du prélude de la première *Ballade* de Liszt, bilbiothèque du Conservatoire de musique, Paris.

L'audition de Paganini l'incite à poursuivre sa carrière et il acquiert une grande célébrité. Il rencontre alors la comtesse Marie d'Agoult (Daniel Stern en littérature) dont il s'éprend et mène une vie errante, donnant en Italie, en Suisse, en France, d'innombrables concerts dont le succès ne fait que croître. Son premier enfant, Blandine (plus tard, madame Émile Ollivier) naît en 1835, sa seconde fille, Cosima (femme de Hans von Bülow puis de Richard Wagner), en 1837 et son fils Daniel, en 1839. D'un commun accord, le couple se sépare en 1844.

Engagé comme chef d'orchestre extraordinaire à Weimar (novembre 1842), il s'installe dans cette ville en 1847, chez la princesse Sayn-Wittgenstein, une de ses admiratrices, et y demeure pendant une quinzaine d'années. Période d'intense activité créatrice durant laquelle il compose une grande partie de son œuvre et fait connaître Wagner, Berlioz et Saint-Saëns à ses auditeurs. La situation et l'attitude de Liszt en faveur de la nouvelle musique suscitent à son encontre envie et hostilité. En 1861, il se rend à Rome, y reçoit les ordres mineurs et porte l'habit ecclésiastique (1865). Dès lors, il abandonne la carrière de virtuose, compose ses grandes œuvres religieuses et se consacre au professorat, créant une magnifique école pianistique. Il partage ses dernières années entre Rome, Weimar et Budapest, et meurt à Bayreuth.

À côté d'intéressantes pages pour l'orgue, LISZT, remarquable virtuose du clavier, écrit des œuvres pianistiques d'une technique transcendante[8], nécessitant de très brillants interprètes : **études** *(La Campanella, Mazeppa, Feux-follets), Rhapsodies hongroises, Années de pèlerinage, Saint François de Paule marchant sur les flots, Saint François d'Assise prêchant aux oiseaux, Sonate en si mineur* (1853).

Pour piano et orchestre, il compose deux concertos, très chatoyants d'écriture, mais d'une expression assez superficielle, *La Danse macabre*, des *Variations*, une *Fantaisie hongroise*.

Sa production orchestrale comprend douze poèmes symphoniques – les *Préludes, Ce qu'on entend sur la montagne, Hamlet, Mazeppa* étant les plus connus – et deux poèmes pour orchestre et chœurs : *Dante-symphonie* (1848-1855) et *Faust-symphonie* (1853).

Fervent catholique, LISZT témoigne dans ses grandes œuvres religieuses : psaumes, *Messe de Gran* (1855), oratorios (*Légende de sainte Élisabeth*, 1858, et *Christus*, 1856-1858) d'une imagination exubérante.

Romantique en art comme dans la vie, remarquable pianiste qu'aucune difficulté d'exécution n'effarouche, LISZT se montre aussi un chef d'orchestre éclectique. Fécond représentant de la musique à programme illustrée par BERLIOZ , il agrandit, développe et établit définitivement le genre du poème symphonique. Il revêt sa musique d'une riche et brillante parure dont les audaces harmoniques influencent WAGNER. Sa technique éblouissante, la hardiesse de son langage et sa puissante personnalité font de lui l'un des principaux maîtres du XIXᵉ siècle.

B. LE ROMANTISME EN FRANCE

Moins touchée que les pays germaniques par l'évolution des idées, la France conserve un goût certain pour l'équilibre classique, vivifié par les apports techniques de l'époque, et ne possède véritablement qu'un seul grand compositeur romantique : BERLIOZ[9].

Large front couronné d'une abondante chevelure rousse, regard volontaire, nez busqué, bouche nerveuse, tel apparaît Hector BERLIOZ (1803-1869) sur les portraits brossés par ses contemporains : DELACROIX, COURBET, DAUMIER. Fils d'un méde-

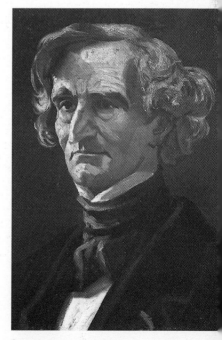

9. *Portrait de Berlioz* par Honoré DAUMIER, château de Versailles.

cin de La Côte-Saint-André (Isère), ce rebelle, ce révolutionnaire impénitent entre, dès sa jeunesse, en conflit avec sa famille. Venu à Paris en 1821 pour y commencer des études médicales, il délaisse la Faculté au profit de la musique et travaille la composition avec LESUEUR. Il entre au Conservatoire, où il se montre un élève indiscipliné, et n'obtient le grand prix de Rome qu'à son quatrième essai, en 1830. Il se plie difficilement aux règlements de la villa Médicis et vitupère contre une institution qui l'oblige à trois années d'exil. À son retour d'Italie, après deux années passées à Rome, il épouse l'actrice anglaise Harriett SMITHSON, vieillie et endettée. Son mariage décevant et la misère qui le guette l'incitent à écrire dans les journaux. Il tient alors avec autorité la rubrique musicale du *Journal des débats*. En décembre 1842, il entreprend une tournée en Allemagne, puis en Autriche (1845) et en Russie (1847), en compagnie de la médiocre chanteuse espagnole Marie RECIO qu'il épouse en 1854, après la mort de sa femme. Mais il la perd également, ainsi que son fils. Il entreprend un nouveau voyage en Russie et meurt, triste et découragé, à Paris, après une vie tumultueuse durant laquelle il batailla sans arrêt, toujours à l'avant-garde, pour la défense de l'art contre les charlatans, pour le triomphe des idées nouvelles contre « les attardés et les fossiles », pour la gloire de l'école française en butte aux attaques des partisans de la tradition italienne et de son mauvais goût.

Reflet de sa personnalité et de sa vie, son œuvre s'inspire des événements heureux ou malheureux de son existence.

10. BERLIOZ, « l'idée fixe », mesures de la *Symphonie fantastique*, personnifiant Harriet SMITHSON.

Encore élève au Conservatoire, il écrit l'ouverture des *Francs-Juges* et commence les *Huit scènes de Faust* (1828) qui, développées, deviendront *La Damnation de Faust* (légende dramatique, 1846). *La Symphonie fantastique, Épisode de la vie d'un artiste* (1830), première tentative de musique à programme, retrace les phases de son amour orageux pour Harriett SMITHSON, personnifiée par une phrase musicale (« idée fixe »)[10] qui circule à travers les cinq mouvements. Ses œuvres suivantes : *Harold en Italie* (symphonie avec alto principal, 1834), le *Requiem* (1837), *Benvenuto Cellini* (opéra, 1838), *Roméo et Juliette* (symphonie dramatique avec chœurs, solo de chants et prologue en récitatif choral, 1839), déroutent les auditeurs par leur hardiesse d'écriture et reçoivent un accueil très réservé.

Pour le dixième anniversaire de la révolution de 1830, il obtient la commande d'une *Symphonie funèbre et triomphale*. Son oratorio en trois parties, *L'Enfance du Christ*, date de juillet 1854. L'année suivante, à Weimar, poussé par LISZT, il entreprend *Les Troyens* (poème lyrique). Il compose enfin *Béatrice et Bénédict* (opéra-comique, 1862) à la demande du casino de Bade.

À côté de cette abondante production uniquement vocale et orchestrale, BERLIOZ nous a laissé un important *Traité d'instrumentation et d'orchestration* (1844) où il expose ses théories, des *Mémoires* (1865) renfermant une certaine part d'exagération, mais d'un vif intérêt musical et littéraire, et plusieurs volumes de chroniques : *Les Soirées de l'orchestre* (1852), *Les Grotesques de la musique* (1859), *À travers chants* (1862).

Une imagination ardente et passionnée, un puissant tempérament révolutionnaire caractérisent le romantisme exubérant de BERLIOZ[11]. Promoteur de la musique à programme – c'est-à-dire guidée par une idée dramatique ou descriptive – et du poème symphonique, œuvre orchestrale en un seul mouvement illustrant son titre, BERLIOZ, un des plus grands génies de l'ins-

11. *Un concert Berlioz en 1846,* caricature allemande par GEIGER, bilbiothèque de l'Opéra.

CIMAROSA n'apporte guère de nouveautés dans son écriture, mais ses ouvrages lyriques, en particulier *Le Mariage secret* (1792) l'ont rendu célèbre. Comme CIMAROSA, PAESIELLO (1740-1816) a beaucoup voyagé. En 1801, il occupe la place de maître de la musqiue du Premier consul. SALIERI qui accomplit la pus grande partie de sa carrière à Vienne illustre tous les genres, mais privilégie la musique vocale.

trumentation, apporte à l'orchestre une étonnante richesse de coloris et une extraordinaire variété de rythmes, qui font oublier la faiblesse harmonique. La structure, très libre, manque souvent de plan précis, mais l'unité se réalise par l'utilisation de thèmes revenant à diverses reprises.

Musicien original, incompris de son vivant, il apparaît comme un isolé, hors de toute classification, sans commune mesure avec ses contemporains qui ne l'apprécient guère. La gloire arrive après sa mort et son influence se décèle particulièrement chez WAGNER et dans l'école russe. La postérité a remis à sa vraie place – la première, à la tête de la musique française – son œuvre géniale, débordante de vie et d'intense passion, bien en avance sur son époque.

C. L'ART DRAMATIQUE

Dans la première moitié du XIXe siècle, il se produit en Europe un renouveau de l'italianisme et le goût du public se tourne plus volontiers vers la scène que vers le concert. WEBER, luttant contre cette tendance, réussit à créer avec le *Freischütz* un opéra romantique spécifiquement allemand, mais BERLIOZ qui se plie mal aux contraintes du théâtre lyrique est dédaigné par les spectateurs français qui applaudissent la virtuosité vocale et la facilité.

1. ÉCOLE ITALIENNE

L'art dramatique italien, en décadence à la fin du XVIIIe siècle après que CIMAROSA (1749-1801) – auteur du *Mariage secret* –, PAESIELLO (1740-1816) – très apprécié par Napoléon – et SALIERI (1750-1825) – l'un des maîtres de BEETHOVEN, de SCHUBERT et de LISZT – eurent donné leurs principales œuvres, voit son rayonnement s'affirmer à nouveau avec ROSSINI.

Né à Pesaro, Gioacchino ROSSINI (1792-1868) montre dès son plus jeune âge des signes évidents de vocation musicale. Il prend des leçons de piano, chante à l'église et écrit son premier opéra à quatorze ans. Son intuition et une incomparable facilité

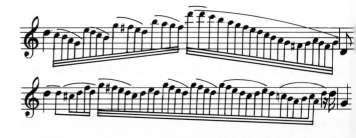

12. ROSSINI, *Sémiramis*, acte II, exemple de cadence vocale à chanter en voix de tête.

13. Le salon de musique du château de la Malmaison où vivait l'impératrice Joséphine.

lui permettent d'accumuler les partitions. *Tancrède*, tragédie musicale et *L'Italienne à Alger* (1813), *Le Barbier de Séville*, improvisé en treize jours et représenté à Rome en 1816, consacrent définitivement sa réputation. À Naples, nouveau succès avec *Otello* (1816). Puis il fait jouer *La Pie voleuse* (1817), *Moïse* (1818), rencontre BEETHOVEN à Vienne, compose *Sémiramis* (1823)[12].

Attiré par Paris, il s'y fixe en 1824, dirige le Théâtre-Italien et devient intendant général de la musique royale. Son opéra *Guillaume Tell* (1829), écrit en français, marque la fin de sa carrière dramatique. Seul un *Stabat Mater* (1832) rompt le silence inexplicable dans lequel il s'enferme jusqu'à sa mort.

Son étonnante facilité mélodique, son style brillant, son dynamisme exercent encore un réel attrait, malgré son indifférence presque totale pour les recherches harmoniques et son peu de souci de la vérité dramatique.

Élève de PICCINI, SPONTINI (1774-1851) commence sa carrière dramatique en Italie et la poursuit à Paris à partir de 1803. Directeur de la musique de l'impératrice Joséphine[13], il connaît le succès avec *La Vestale* (1807), *Fernand Cortez* (1809). En 1820, il devient directeur de la musique à la cour du roi de Prusse pour une dizaine d'années, puis il se retire dans son pays natal.

Après ses études à Naples, PICCINI (1728-1800) fait carrière à Rome dès 1758, puis vient à Paris (1776) à l'invitation de la reine. Sa rivalité avec GLUCK déclanche la Querelle des Gluckistes et des Piccinistes.

Musicien fécond dont le style s'apparente à celui de Cimarosa et de Paesiello, Paër (1771-1839) a écrit un seul opéra-comique français : *Le Maître de chapelle* (1821). Il a dirigé l'orchestre du Théâtre-Italien à Paris pendant quelques années.

Bellini (1801-1835) fait applaudir *Le Pirate* (1827) puis *La Somnambule* (1831). La même année, *La Norma,* créée à Milan par l'incomparable cantatrice Maria Malibran, obtient un succès retentissant. Fixé à Paris en 1833, il y donne son dernier opéra, *Les Puritains* (1835). Musicien sensible, doué pour la mélodie, mais assez superficiel et sans grande technique harmonique, il conquiert de son vivant une grande célébrité.

Sans la mort de Bellini et le silence de Rossini, Donizetti (1797-1848) n'aurait pu prendre la tête du mouvement musical italien. Sa stupéfiante facilité lui permet d'écrire plusieurs opéras par an. En 1835, il donne son œuvre la meilleure, *Lucie de Lammermoor.* De Paris, où il s'installe en 1839, datent *La Fille du régiment, La Favorite* (1840) et *Don Pasquale* (1843). Perdant peu à peu la raison, il meurt à Bergame, sa ville natale, laissant environ soixante-dix ouvrages dramatiques.

Avec cette série de musiciens peu profonds, mais doués pour le théâtre, ayant le souci de la beauté vocale et lui accordant une importance primordiale, prend fin l'époque des premiers romantiques italiens.

2. École française

La scène française est surtout occupée par les compositeurs italiens qui séjournent plus ou moins longtemps dans notre pays et que le public apprécie.

Malgré l'effervescence qui se manifeste en France sur la scène lyrique, la première moitié du XIXe siècle reste une époque secondaire quant à l'originalité de la production.

Hérold, Adam, Auber et Halévy obtiennent, après Boïeldieu, de grands succès à l'Opéra-Comique[14] et à l'Opéra. Parallèlement, les étrangers implantés en France suscitent aussi un véritable engouement.

a. Contemporains et successeurs de Boïeldieu

Louis-Ferdinand Hérold (1791-1833), élève de Méhul au Conservatoire, grand prix de Rome en 1817, possède une évidente personnalité. Doué d'un vif instinct de la scène, il abandonne la musique instrumentale pour se consacrer au théâtre. Ses deux dernières œuvres, *Zampa* (1831) et *Le Pré-aux-Clercs* (1832), montrent une certaine originalité et une vigueur expressive qui font souvent défaut à ses contemporains. À juste titre, il a été considéré comme une sorte de « Weber français ».

Adolphe Adam (1803-1856) doit sa formation musicale à Boïeldieu. Remarquable improvisateur, il abuse de sa prodi-

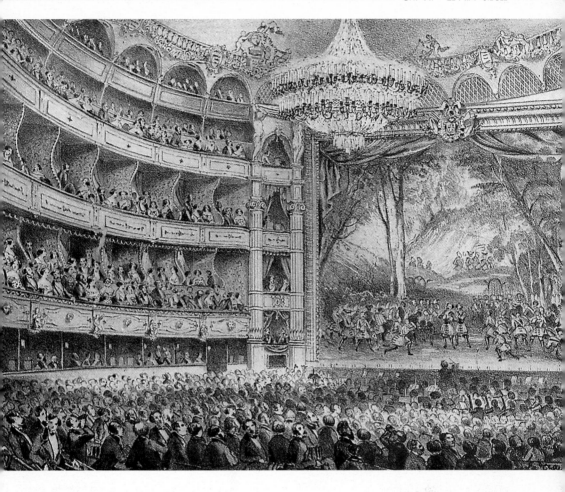

gieuse facilité et l'opéra-comique perd avec lui presque toute valeur artistique. Quelques-uns de ses cinquante-trois ouvrages lyriques gardent encore leur popularité : *Le Chalet* (1834), *Le Postillon de Longjumeau* (1836), *Si j'étais roi* (1852), *La Poupée de Nuremberg* (1852).

Élève de CHERUBINI, Daniel-François-Esprit AUBER (1782-1871) possède un don mélodique peu commun et ne connaît que des succès. Il a de l'esprit, du charme, de l'élégance, du brillant, une grande habileté théâtrale, mais aucune profondeur. De son abondante production dramatique se détachent *La Muette de Portici* (1828), opéra en cinq actes, *Fra Diavolo* (1835), *Le Domino noir* (1837), *Les Diamants de la couronne* (1841) et *Manon Lescaut* (1856).

b. L'opéra historique

Le romantisme, introduit dans l'opéra par MEYERBEER, dont la carrière se partage entre l'Allemagne, l'Italie et la France, se manifeste surtout par la recherche d'effets.

Fils d'un riche banquier berlinois, Giacomo MEYERBEER (1791-1864) prend des leçons avec CLEMENTI pour le piano, VOGLER pour la composition. Ses opéras allemands n'obtenant guère de succès, il s'installe à Venise (1815), sur les conseils de SALIERI. Assimilant avec facilité le style mis à la mode par ROSSINI, il compose six opéras italiens. Toutefois, répondant à l'insistance de son ami WEBER, il retourne dans son pays natal. Mais, en 1826, il s'établit à Paris où, avec sa souplesse habituelle et son extraordinaire facilité d'assimilation, il s'adapte aux exigences de la scène française. Créateur de l'opéra historique succédant à la tragédie lyrique, avec *Robert le diable* (1831) et *Les Huguenots* (1836) qui enthousiasment le public, MEYERBEER écrit encore *Le Prophète* (1849). Durant la dernière partie de sa vie, il succède à SPONTINI comme directeur de la musique du roi Frédéric-Guillaume IV de Prusse et aborde l'opéra-comique avec *L'Étoile du Nord* (1854) et *Le Pardon de Ploërmel* (1859). Son dernier opéra, *L'Africaine*, sur un livret de SCRIBE, représenté après sa mort, connaît une éclatante réussite.

15. HALÉVY, *La Juive*, 1835, décor de l'Opéra.

Maître dans l'art d'amalgamer les genres et les styles, MEYERBEER a le sens de l'intérêt dramatique, de la déclamation et du coloris orchestral. Artiste quelque peu superficiel, il joua cependant un rôle assez actif de son vivant dans l'évolution du théâtre lyrique. Mais les générations suivantes ont rapidement décelé le côté factice de sa musique.

Grand prix de Rome en 1819, Fromental Halévy (1799-1862) rentre en France en 1822. Il accède peu à peu aux plus hautes fonctions musicales : professeur d'harmonie et d'accompagnement au Conservatoire de Paris (1827), chef de chant à l'Opéra (1833), professeur de contrepoint et fugue (1840), membre de l'Académie des Beaux-arts (1836) dont il devient secrétaire en 1854, directeur de la musique du duc d'Orléans (1840). Bizet, son futur gendre, Gounod, Lecocq, Masse, entre autres, ont bénéficié de son enseignement. Dans le domaine du théâtre, où il se montre très fécond, il obtient sa plus grande réussite avec *La Juive* (1835)[15], célèbre opéra historique sur un livret assez conventionnel de Scribe. Par le choix des sujets, par l'emploi de formules au succès éprouvé, par la place qu'il accorde à tout ce qui peut frapper le spectateur, il s'apparente nettement à Meyerbeer.

CHAPITRE VIII

Seconde moitié du XIXᵉ siècle : divergences de styles

Jean-Baptiste CARPEAUX, *La Danse*, 1869, musée d'Orsay, Paris, jadis installée façade de l'Opéra.

L'éclatement des conceptions romantiques libère des tendances diverses, dont la représentation, aussi fidèle que possible, du réel constitue le caractère principal. George SAND, BALZAC, MÉRIMÉE s'intéressaient déjà aux réactions de l'homme confronté aux circonstances de la vie. Mais à partir du milieu du XIXᵉ siècle, cette étude minutieuse devient une règle. Elle s'oppose aux excès de l'imagination et de l'individualisme et cherche à décrire avec précision le monde extérieur et à peindre la nature humaine dans toute sa vérité. Gustave FLAUBERT en donne le premier exemple en 1857 avec *Madame Bovary*. Le naturalisme, qui succède au réalisme, s'attache à donner à l'œuvre une valeur documentaire incontestable. Émile ZOLA s'en montre le théoricien. Dans sa vaste fresque en vingt volumes, *Les Rougon-Macquart*, il envisage tous les aspects et toutes les classes de la société.

1. COURBET, *Les Cribleuses de blé*, 1854, musée des Beaux-arts, Nantes.

Apôtre du réalisme, COURBET ramène tout à la vérité concrète ; il cherche à « faire de l'art vivant ».

À la poésie parnassienne (José-Maria DE HEREDIA, Théophile GAUTIER, LECONTE DE LISLE) – qui renonce aux épanchements lyriques du romantisme au profit de l'objectivité – fait suite le symbolisme avec VERLAINE et MALLARMÉ dont les vers inspirent des compositeurs.

À partir de 1840 apparaît également chez les peintres un besoin de revenir à la réalité. Avec COURBET[1], chef du mouvement réaliste, l'art s'intéresse à la représentation du peuple et des drames humains. La confrontation avec le tangible, y compris parfois l'aspect social, devient une source inépuisable. Un groupe d'indépendants, auquel appartiennent MANET, RENOIR, MONET, étudie les variations de la lumière naturelle. Ces peintres impressionnistes travaillent en pleine nature et tentent de saisir le moment et l'impalpable. Le paysage prédomine avec les nuages, la brume, les reflets dans l'eau.

Les tendances variées du XIXᵉ siècle se retrouvent chez les sculpteurs. La vigueur de RUDE s'oppose au raffinement de CARPEAUX. RODIN[2] domine son époque ; ses œuvres, d'orientation expressionniste, se veulent d'un réalisme universel. Toutes les recherches ultérieures, de BOURDELLE à ZADKINE subiront son influence.

En architecture, la fin du XIXᵉ siècle inaugure les pastiches du néogothique, avec le Parlement de Londres, les châteaux de Louis II de

2. RODIN, étude pour *Balzac*, 1897, dernier état, plâtre, musée Rodin.

Bavière[3] et, en France, les restaurations de Viollet-Le-Duc. Le néo-baroque marque le retour d'un esprit de « divertissement » correspondant à la prospérité de la bourgeoisie. Chaque capitale construit son opéra (Opéra de Paris[15], œuvre de Garnier).

Comme à chaque époque, la musique subit l'influence des modes littéraires. Si une certaine tradition romantique se maintient dans les pays germaniques, le réalisme pénètre profondément en Italie, sous le nom de *vérisme*, et le poète Varga fournit de livrets d'opéras les compositeurs postérieurs à Verdi.

En France, après la mort de Berlioz (1869), le mouvement musical devient assez complexe : certains créateurs, tels César Franck et ses disciples, montrent leur admiration pour Wagner ; d'autres – Bizet, Lalo, Saint-Saëns – conservent un esprit plus latin.

Les genres apparus au début du siècle se développent : lied et poème symphonique en Allemagne, mélodie en France. D'autre part, chaque peuple se tournant plus ou moins vers son passé et s'inspirant de son folklore, tente de créer un art national.

3. Neuschwanstein, château gothique construit en 1869 pour Louis II de Bavière.

A. LES ÉCOLES ÉTRANGÈRES

1. Apogée de l'art germanique

En Allemagne, plus qu'ailleurs peut-être, des liens étroits unissent musique et littérature. Particulièrement riche et brillant au XIXe siècle, l'art dramatique, réformé par Wagner qui s'oriente uniquement vers le théâtre, voit sa suprématie s'affirmer avec éclat et son rayonnement marquer très sensiblement toute la musique européenne.

a. Wagner (1813-1883)

Né à Leipzig, Richard Wagner grandit dans l'atmosphère du théâtre, sa mère ayant épousé en secondes noces l'acteur et poète Ludwig Geyer. En 1814, la famille s'établit à Dresde où le jeune Richard commence ses études. La poésie et le drame l'attirent. Enthousiasmé par Weber et Beethoven, il vient ensuite à la musique. Son premier opéra, *Les Fées* (1833), est composé à Wurzbourg où il passe quelques mois en qualité de chef de chant.

Puis il remplit les fonctions de chef d'orchestre au théâtre de Magdebourg (1834). Là, il fait la connaissance de l'actrice Minna Planer, qu'il épouse en 1836, et donne son second opéra, *Défense d'aimer*, inspiré de Shakespeare. Il dirige ensuite l'orchestre du théâtre à Leipzig, à Koenisberg, enfin à Riga (1837). Influencé par l'opéra historique, il esquisse

Rienzi (1838) et décide l'année suivante de tenter sa chance à Paris où triomphe alors MEYERBEER. Il y demeure trois ans, acceptant pour vivre les pires besognes. Il compose cependant une ouverture pour FAUST, termine *Rienzi* (1840) repré-

senté à Dresde en 1842, et écrit *Le Vaisseau fantôme ou le Hollandais volant* (1841), drame r o m a n t i q u e accueilli avec un certain succès (1843). Nommé en 1843 maître de cha-pelle à la cour de Saxe où il reste sept ans, il entreprend la composition de *Tannhaüser* (1845) puis de *Lohengrin* (1847) et ébauche

4. *Wagner* par RENOIR, musée d'Orsay.

L'Anneau du Nibelung (1848). Mais, ayant participé au mouve-ment révolutionnaire de 1849, il s'enfuit, d'abord à Weimar, chez LISZT, puis à Zurich.

Imprégné des doctrines philosophiques de SCHOPENHAUER, il précise ses théories sur l'art dans plusieurs ouvrages : *L'Art et la Révolution* (1849), *L'Œuvre d'art de l'avenir* (1849), *Le Judaïsme dans la musique* (1850), *Opéra et Drame* (1850-1851), tout en commençant sa *Tétralogie* de *L'Anneau du Nibelung (L'Or du Rhin, La Walkyrie, Siegfried, Le Crépuscule des Dieux)*, dont il termine les trois premières parties en 1857.

Sans ressources, il accepte l'hospitalité d'un de ses admira-teurs, Otto WIESENDONCK. Il s'éprend de la femme de son hôte, Mathilde, et compose *Tristan et Isolde* (1859)[5], poème de la passion et de la mort, où il donne libre cours à son désespoir. Il quitte ses amis et se rend à Venise, puis à Lucerne. Durant son second séjour à Paris[4] paraissent ses *Quatre poèmes d'opéra*, traduits en prose française, précédés d'une *Lettre sur la musique* (1860), mais *Tannhaüser* subit un échec à l'Opéra (1861). WAGNER entreprend alors des tournées en Allemagne, en Autriche et en Russie.

5. WAGNER, *Tristan et Isolde*, un leitmotiv (1er thème du prélude).

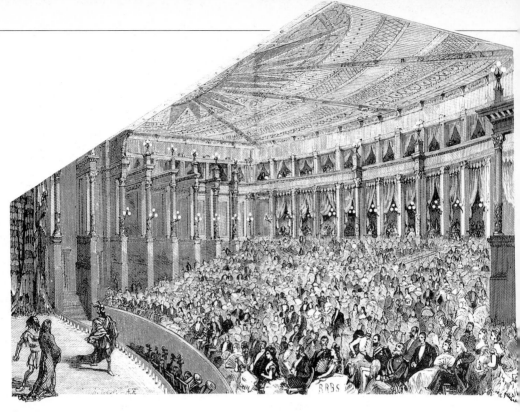

6. Intérieur du théâtre du Festival de Bayreuth (Ferspielhaus), lors d'une représentation de *Siegfried*. Entre la scène et la salle, on aperçoit une partie de l'orchestre.

L'amitié et la protection du roi Louis II de Bavière lui permettent de faire représenter *Tannhaüser*, *Le Vaisseau fantôme*, *Tristan et Isolde* au théâtre de Munich (1864-1865). Mais des intrigues de cour obligent le musicien à se retirer en Suisse, à Triebschen, sur le Lac des Quatre-Cantons (1866). C'est là que la fille de LISZT, Cosima, femme du pianiste et chef d'orchestre Hans VON BULOW, vient le rejoindre. WAGNER l'épouse en 1870 et, pour la naissance de son fils Siegfried, compose *Siegfried Idyll*. De ces années fécondes et heureuses datent *les Maîtres chanteurs* (1868) et *Le Crépuscule des dieux* (1872) qui achève la *Tétralogie*. Grâce à une souscription publique et à la générosité de Louis II de Bavière, le théâtre, édifié à Bayreuth selon les directives de l'artiste et réservé à ses œuvres, fut inauguré en 1876 avec *L'Anneau du Nibelung*, donné en quatre journées (une par drame)[6], en présence de l'élite du monde entier. WAGNER termine sa dernière œuvre, *Parsifal*, en 1882, l'année précédant sa mort, à Venise.

Parti du drame historique, WAGNER utilise jusqu'à *Lohengrin* les éléments de l'opéra italien. Mais il applique ensuite ses propres théories esthétiques. Musicien, poète et philosophe, critique de la société de son temps, il écrit lui-même ses livrets, obtenant ainsi cette synthèse du verbe et du son que bien des artistes avant lui cherchèrent vainement.

Ses œuvres, fondées sur l'idée de rédemption et de liberté, illustrent magistralement les aspects romantiques, mystiques ou panthéistes de son temps. Rejetant catégoriquement le passé et tout ce qu'il comporte sur la scène de faux, de conventionnel, d'insignifiant, il établit les éléments d'une nouvelle esthétique basée sur la vérité et la sincérité dans l'expression, la recherche d'unité, la fusion intime de la poésie et de la musique, la participation de tous les arts à l'extériorisation et à la compréhension du drame. À cette révolution fondamentale correspond une évolution de la forme. La nécessité d'un poème de valeur et non plus d'un simple livret d'opéra, la suppression du ballet, s'imposent. Les scènes, d'intérêt croissant, se succèdent sans coupure et la mélodie, continue, souvent déclamée, suit l'expression des sentiments. Des thèmes multiformes **(leitmotiv)** auxquels s'attachent une signification symbolique et une intention dramatique précise, circulent à travers l'œuvre, lui assurant une parfaite cohésion. L'orchestre, jouant un rôle primordial, crée l'ambiance, évoque et commente les états d'âme dans lesquels se débattent les personnages.

L'opéra de Wagner, aboutissement du romantisme, marque également le point de départ d'un art dramatique nouveau. Il exerce, par sa puissance, une emprise dont les traces profondes se retrouvent chez un grand nombre de compositeurs et s'étendent à tous les aspects de la musique.

b. Brahms (1833-1897)

Issu d'une modeste famille hambourgeoise, Johannes Brahms entreprend avec son père, contrebassiste, son initiation musicale. Artiste essentiellement germanique, formé au contact des romantiques, il s'éloigne de Wagner et revient aux formes classiques. Son œuvre considérable (quatre symphonies, un *Requiem allemand* –1866-1867–, de nombreux lieder, notamment les *Romanzen aus L. Tiecks Magelone* –1861-1868– ne comporte aucun drame lyrique.

L'écriture parfois lourde et massive et la valeur inégale de son abondante production font que Brahms n'est pas toujours apprécié à sa juste valeur malgré sa maîtrise architecturale, son sens symphonique réel, la nouveauté de son invention et de ses superpositions rythmiques originales, son souci de la perfection.

c. Richard Strauss (1864-1949)

Né à Munich dans une famille de musiciens, Richard Strauss entreprend des études générales puis s'inscrit à l'université de sa ville natale où il suit des cours de philosophie, d'esthétique et d'histoire de l'Art, mais il travaille en même temps différentes disciplines musicales. Après sa rencontre avec Hans von Bulow en 1884, il entame une carrière de chef d'orchestre qui le mène

> 66 Je me crus en possession d'un résultat solide : c'est que chaque art tend à une extension indéfinie de sa puissance, que cette tendance le conduit finalement à sa limite et que, cette limite, il ne saurait la franchir sans courir le risque de se perdre dans l'incompréhensible, le bizarre et l'absurde. Arrivé là, il me semble voir clairement que chaque art demande, dès qu'il est aux limites de sa puissance, à donner la main à l'art voisin.
>
> Je cherchais […] à me représenter l'œuvre d'art qui doit embrasser tous les arts particuliers et les faire coopérer à la réalisation supérieure de son objet ; j'arrivai par cette voie à la conception réfléchie de l'idéal qui s'était obscurément formé en moi, vague image à laquelle l'artiste aspirait. La situation subordonnée du théâtre dans notre vie publique, situation dont j'avais si bien reconnu le vice, ne me permettait pas de croire que cet idéal pût arriver, de nos jours, à une réalisation complète : je le désignai donc sous le nom **d'œuvre d'art de l'avenir**. 99

Wagner : *Lettre sur la musique* (extraits).

7. Gustave KLIMT, *Salomé*, 1909, Galerie d'art moderne, Venise.

à Munich, à Bayreuth, à Berlin, à Vienne et même aux États-Unis pour une tournée de concerts avec l'Orchestre philharmonique de Berlin. La musique religieuse exceptée, son œuvre englobe à peu près tous les genres. Il écrit des pages instrumentales (sonates, quatuors), des lieder avec piano et avec orchestre, mais il s'intéresse d'abord au poème symphonique inauguré par les romantiques et dont il amplifie la forme : *Don Juan* (1888), *Macbeth* (1890), *Tod und Verklarung* (*Mort et Transfiguration*, 1889), *Till Eulenspiegel* (*Till l'espiègle*, 1895), *Also sprach Zarathustra* (*Ainsi parla Zarathoustra*, 1896, d'après NIETZSCHE), *Don Quichotte* (1897), *Ein Heldenleben, La Vie d'un héros* (1898), *Symphonie domestique* (1903). Continuateur de WAGNER dans l'évolution du théâtre lyrique, il enrichit la scène de drames somptueux et violents (*Salomé*, 1905[7] ; *Elektra*, 1909 ; *Ariane à Naxos*, 1912), de comédies musicales spirituelles (*Le Chevalier à la Rose*, 1911 ; *Capriccio*, 1941).

Bien que solidement contrôlé, son romantisme fougueux et touffu semble parfois excessif et côtoie par instants la banalité. Mais son habileté de coloriste et son style audacieux poussé à l'extrême dans l'emploi de la polytonalité et des dissonances le placent à l'avant-garde des créateurs de son temps.

d. Bruckner (1824-1896)

Fils d'instituteur, Anton BRUCKNER s'engage d'abord dans la même voie que son père, mais il développe parallèlement ses connaissances musicales. Il devient organiste à Saint-Florian (1848)[8] puis à Linz (1856) et complète sa formation de compositeur. La symphonie – il en écrit neuf – semble son genre de prédilection, bien que la musique religieuse, expression de sa foi profonde (plusieurs messes, **requiem**, **magnificat**, **Te deum**), la musique instrumentale et les mélodies figurent dans sa production.

Par goût assez proche des premiers romantiques, il apporte cependant à la symphonie d'incontestables enrichissements : ampleur dans ses dimensions, utilisation du choral instrumental, du folklore autrichien, complexité des superpositions mélodiques et instrumentales. Durant de longues années, son succès ne dépassa guère les frontières de son pays et des pays voisins. Il a peu à peu pris la place qui lui revient parmi les compositeurs de la deuxième moitié du XIXe siècle.

e. Mahler (1860-1911)

Faisant preuve dès son jeune âge de sérieuses aptitudes musicales, Gustav MAHLER, né en Bohême, entre en 1875 au conservatoire de Vienne, puis à l'université (1878). Encouragé par BRUCKNER, il entreprend une carrière de chef d'orchestre, d'abord dans de petits théâtres de province, puis à Kassel, à Prague, à Leipzig, à Budapest, à Hambourg ; enfin, après sa conversion au catholicisme, à l'opéra de Vienne de 1897 à 1907. Il passe alors plusieurs hivers, de 1907 à 1911, aux États-Unis, où il dirige des concerts.

Ses œuvres éditées appartiennent à deux domaines : la musique symphonique (dix **symphonies** – la dernière, inachevée – et *Das lied von der Erde*, *Le Chant de la Terre*, 1908, mise en musique d'un texte adapté du chinois) et le lied avec orchestre, dont les *Kindertotenlieder* (*Chants pour des enfants morts*, 1904), une de ses dernières œuvres, constituent l'aboutissement de ses conceptions. Il élargit la structure de la symphonie beethovenienne et utilise d'une manière plus ample le système de la variation, apportant ainsi sa contribution à l'évolution du genre.

2. EUROPE CENTRALE

Comme tous les pays longtemps asservis par de puissants voisins, la Bohême et la Moravie se tournent vers leur culture nationale et exaltent leur désir de liberté dans de nombreux chants populaires. Tous les compositeurs y puisent systématiquement et en font l'élément le plus caractéristique de leurs œuvres.

a. Smetana (1824-1884)

Rénovateur de la musique tchèque, Bedrich SMETANA, né en Bohême, montre de précoces dispositions. Précepteur dans une famille de Prague de 1844 à 1847, il poursuit en même temps ses études de composition. Il crée une école de musique qu'il administre durant six années, puis se rend en Suède, à Göteborg, où il dirige des concerts et compose trois poèmes symphoniques : *Richard III* (1858), *Le Camp de Wallenstein* (1859), *Hakon Jarl* (1861). De retour à Prague, il écrit plusieurs opéras : *Les Brandebourgeois en Bohême* (1862-1863), *Dalibor* (1866-1867), *La Fiancée vendue* (1870), *Libuse* (1872), qui obtiennent un succès extraordinaire, car pour la première fois ils expriment l'âme nationale. Malgré sa surdité, survenue en 1874, il compose un cycle de six poèmes symphoniques, *Ma Patrie* (1874-1879), souvent inscrit aux programmes de concerts, un quatuor, *Ma vie* (1876), des *Danses tchèques* pour piano (1879), des chœurs et des lieder.

Influencée par les romantiques, parée d'une harmonie parfois audacieuse, l'œuvre de SMETANA, riche d'un langage national, demeure un modèle pour ses successeurs.

8. Orgue de la crypte de Saint-Florian au pied duquel BRUCKNER est enterré.

b. Dvorak (1841-1904)

D'origine sociale modeste, le Tchèque Antonin DVORAK apprend d'abord le violon avec l'instituteur de son village natal puis entre, en 1857, dans la classe d'orgue du Conservatoire de Prague, tout en gagnant sa vie comme musicien d'un orchestre de danse. De 1861 à 1871, il fait partie de l'orchestre de l'Opéra de Vienne comme altiste et occupe ensuite la place d'organiste à l'église Saint-Adalbert. Il se lie d'amitié avec BRAHMS, et Hans VON BULOW inscrit ses œuvres à ses programmes. Nommé professeur de composition au Conservatoire de Prague en 1890, il en devient le directeur en 1901. Dans l'intervalle, il se rend une dizaine de fois en Angleterre et dirige le conservatoire de New York (1892-1895). Ses œuvres, nombreuses, appartiennent à tous les genres : poèmes symphoniques, quatuors, trios, quintettes, œuvres pour piano, symphonies – la neuvième, *Du Nouveau Monde* (1893) –, mélodies, une dizaine d'opéras, *Roussalka* (1900) étant le plus souvent représenté. Avec *Sainte Ludmilla* (1886), il crée le premier oratorio tchèque.

Comme SMETANA, DVORAK puise abondamment dans le folklore de son pays[9] et contribue à faire connaître à l'étranger la musique de cette région d'Europe centrale.

9. Musiciens et danseurs folkloriques tchèques.

c. Janaćek (1854-1928)

D'abord instituteur, Leòs Janaćek entre à l'école d'orgue de Prague (1874) puis se perfectionne à Saint-Pétersbourg, à Leipzig et à Vienne (1879-1880) où il compose ses premières œuvres. De 1880 à 1919, il dirige l'école d'orgue de Brno et se fait connaître comme critique. Avant BARTOK et KODALY, il étudie de près la notation des chansons populaires dont il publie des arrangements (1892-1901) et qui influencent ses *Danses valaques* et son troisième opéra *Jenufa* (1903). Entraîné dans le camp des antimonarchistes, il glorifie le vieux chef cosaque intransigeant *Tarass-Boulba* (1918) dans sa rhapsodie pour orchestre. De la dernière période de sa vie datent des pages de premier plan : quatre opéras (*Le Rusé Petit Renard*, 1923), deux quatuors à cordes, *la Sinfonietta* (1926), *la Messe glagolitique* (1926).

Menant de pair sa carrière d'écrivain et celle de musicien, JANAĆEK, par la nouveauté de son écriture rythmique, harmonique et orchestrale, appartient déjà au XXᵉ siècle.

Très imprégné de folklore, le style de JANAĆEK se rapproche de la chanson populaire. Dans sa *Messe* il utilise un texte en vieux slave, d'où son qualificatif de gaglolitique s'appliquant aux premières œuvres de la littérature slave.

3. EUROPE DU NORD

Dans l'histoire de la musique du XIXᵉ siècle, la Norvège tient une place honorable avec Edward GRIEG (1843-1907). Son œuvre, imprégnée de musique populaire, comprend surtout des lieder et des pages pour piano. Deux partitions conservent la faveur du public : *Peer Gynt*, suite d'orchestre tirée de son opéra (1874), et les *Danses norvégiennes* pour piano.

La Finlande possède en Jean SIBELIUS (1855-1967) son plus grand musicien. Célèbre par *La Valse triste*, extraite de son opéra *La Mort* (1903), il a composé des pages instrumentales, orchestrales (sept symphonies, quatre légendes – dont *Le Cygne de Tuonela* –, *Finlandia*, 1899-1900), des lieder, des cantates, plusieurs opéras. Son attachement à tout ce qui touche à la culture de son pays en fait l'un des initiateurs d'un art national.

Toutes les œuvres de SIBELIUS dégagent une impression de mélancolie et de tristesse.

4. ITALIE

Pendant qu'en Allemagne WAGNER opère une transformation profonde dans la structure du drame musical, l'Italie, berceau de l'opéra, maintient les traditions de forme et de style avec VERDI.

Né la même année que son rival allemand WAGNER, Giuseppe VERDI (1813-1901), joué à Paris et dans toute l'Italie, connaît le succès et la gloire avec *Rigoletto* (1851) – d'après *Le Roi s'amuse* de Victor HUGO –, *Le Trouvère* et *La Traviata* (1853), inspirée de *La Dame aux camélias* d'Alexandre DUMAS fils. Puis, élevant son idéal dramatique en s'inspirant de l'opéra français et en tenant compte de l'enrichissement de l'orchestre wagnérien, il conquiert toutes les scènes d'Europe avec *Aïda* (1871)[10], *Otello* (1887), *Falstaff* (1893). Soucieux d'effets pathétiques, à la manière de MEYERBEER, VERDI, artiste d'une extraordinaire souplesse, montre cependant beaucoup de charme, de sincérité, d'esprit.

Le souci de mettre en scène la vie des gens du peuple avec toute la violence de leurs sentiments, caractérise le courant littéraire « vériste », voisin du naturalisme français, dont le principal représentant Giuseppe VARGA fournit à MASCAGNI (1863-1945) le livret de *Cavalleria Rusticana* (1890).

Deux compositeurs furent particulièrement influencés par ce mouvement : LÉONCAVALLO (1858-1919), compositeur de *Paillasse* (1892), et PUCCINI.

10. VERDI, *Aïda,* acte III.

Décor d'époque reproduisant le temple d'Isis à Philae, bibliothèque de l'Opéra, Paris.

Après le succès de *Manon Lescaut* (1893), Giacomo PUCCINI, touché par les conceptions véristes choisit des sujets simples dans lesquels les personnages expriment violemment les passions humaines. Il donne au théâtre : *La Bohème* (1896), *Tosca* (1900), *Madame Butterfly* (1904), *La Fanciulla del West* (*La Jeune Fille de l'Ouest,* 1910), *La Rondine* (1917), le triptyque de 1918, *Il Tabarro* (*La Houppelande*), *Suor Angelica* et *Gianni Schicchi.* Son dernier opéra *Turandot,* inachevé, fut terminé par ALFANO.

Une réaction contre le vérisme et un renouveau de la musique instrumentale, assez négligée en Italie depuis plus d'un siècle, se dessinent avec Respighi (1879-1936), célèbre par ses *Fontaines de Rome* (1916), Pizetti (1880-1968), Malipiero (1882-1973) et Casella (1883-1947).

5. Espagne

Pays de vieille civilisation, l'Espagne, qui occupait une place secondaire au temps de la primauté italienne, brille à nouveau d'un vif éclat. Inspiré par le folklore (flamenco, jota, malaguena, fandango) et par la danse (seguedille, tango, habanera, bolero), imprégné d'influences mauresques[11], l'art espagnol – l'un des plus originaux – retrouve avec la **zarzuela**, sorte d'opéra-comique, et la chanson populaire, un caractère national.

Felip Pedrell (1841-1922), musicologue et compositeur, se montre le promoteur de ce renouveau.

Isaac Albeniz (1860-1909), élève de Liszt, fait preuve dans ses œuvres pianistiques, orchestrales et vocales *(Cordoba, Iberia* – 1906-1908 –, plusieurs zarzuelas), d'une prodigieuse invention mélodique et rythmique et d'une technique très personnelle.

Enrique Granados (1868-1916) traduit, dans un style raffiné, l'âme voluptueuse et tragique de son pays, dans ses *Goyescas*, ses *Danses espagnoles* et ses *Zarzuelas*.

Cette montée de la jeune école ibérique se prolonge au XXᵉ siècle, principalement avec Manuel de Falla et Joaquin Turina.

6. Russie

a. Les précurseurs

Au XIXᵉ siècle, la musique russe, liée au mouvement littéraire d'où émergent Gogol, Pouchkine, Tourgeniev, Tolstoï, se révèle.

Le premier, Glinka (1804-1857), avec son opéra *La Vie pour le tsar* (1836), cherche à se libérer de la puissante influence occidentale et s'attache aux traditions populaires russes. Mais

11. Art mauresque, intérieur d'une coupole de l'Alhambra de Grenade, XIVᵉ siècle.

son second ouvrage, *Rousslan et Ludmilla* (1842), n'atteint pas le grand public.

Ami de son aîné GLINKA, DARGOMYJSKI (1813-1869) tend, comme WAGNER dont il est le contemporain, à réformer l'opéra et écrit en ce sens *Roussalka* (1856), son chef-d'œuvre, inspiré de POUCHKINE.

b. Le groupe des Cinq

Les efforts de ces compositeurs aboutissent, vers cette époque, à la constitution du groupe des Cinq, qui souhaite donner à la musique russe un caractère national et comprend : BALAKIREV, CUI, BORODINE, RIMSKI-KORSAKOV, MOUSSORGSKY. Fondateur du groupe, Mily BALAKIREV (1837-1910) s'inspire de la chanson populaire qu'il revêt d'harmonies étincelantes. De ses œuvres, peu nombreuses, se détachent son poème symphonique *Thamar* (1884), somptueux tableau coloré et vivant, et sa célèbre fantaisie orientale pour piano, *Islamey* (1869).

12. BORODINE, décor du *Prince Igor* pour les représentations de 1949.

César CUI (1835-1918), d'abord ingénieur militaire, montre plus de goût pour la musique vocale que pour les œuvres instrumentales. Il écrit des symphonies, de la musique de chambre, des pages pour le piano, des mélodies, et compose onze opéras.

Professeur de chimie à l'académie de Saint-Pétersbourg, musicien autodidacte, Alexandre BORODINE (1834-1887) a peu produit : deux symphonies, *Dans les steppes de l'Asie centrale* (1880) et *Le Prince Igor* (1869-1887)[12], ouvrage lyrique

dont sont extraites les *Danses polovtsiennes* qui figurent souvent en concert.

Ancien officier de marine, Nicolas RIMSKI-KORSAKOV (1844-1908) fait preuve d'une riche inspiration et d'une grande maîtrise technique. Son œuvre, importante, comprend, outre des mélodies et de la musique de chambre, des opéras : *Snégourotchka* (1882), *Le Coq d'or* (1905) ; des pages symphoniques : *Antar* (1874, remanié en 1893), *Capriccio espagnol* (1887), *Shéhérazade* (1888)[13], *La Grande pâque russe* (1888). On lui doit également un *Traité d'orchestration*.

Modeste MOUSSORGSKY (1839-1881) semble le mieux doué des Cinq, et sans doute le plus authentiquement russe. Si sa science musicale laisse parfois à désirer, son intuition le guide. Réalisateur d'un art national qui reflète l'âme de son pays, il n'éprouve aucun attrait pour la musique pure. Dans les *Tableaux d'une exposition* (1874) – orchestrés plus tard par RAVEL –, dans ses poèmes symphoniques – *Une nuit sur le Mont-Chauve* (1867), les *Chants et Danses de la Mort* (1875) –, dans son recueil de lieder – *La Chambre d'enfants* (1868-1870) –, dans son opéra – *Boris Godounov* (1868-1872) –, il exprime puissamment tous les aspects de la vie.

Son contemporain Pierre Ilitch TCHAÏKOVSKY (1840-1893), plus inégal, subit l'influence de SCHUMANN et de BERLIOZ. Alexandre GLAZOUNOV (1865-1936) se maintient lui, dans la

13. RIMSKI-KORSAKOV, *Shéhérazade*, décor de Léon BASKT, 1910 pour les Ballets russes, bibliothèque de l'Opéra, Paris.

lignée des Cinq. Serge RACHMANINOV (1873-1943), Alexandre SCRIABINE (1872-1915), et surtout Serge PROKOFIEV (1891-1953), s'ouvrent plus largement aux apports nouveaux de l'Occident.

B. L'ÉCOLE FRANÇAISE

L'histoire musicale de la seconde moitié du XIXe siècle voit un retour à la suprématie française dans le drame lyrique (GOUNOD, BIZET, MASSENET) et la musique instrumentale (SAINT-SAËNS). À l'orée du XXe siècle, FAURÉ, DEBUSSY, RAVEL assurent à notre pays la première place en Europe.

1. RENOUVEAU DE L'ART DRAMATIQUE

a. Gounod (1818-1893)

Né et mort à Paris, Charles GOUNOD, élève au lycée Saint-Louis, entrevoit dès l'âge de treize ans sa vocation musicale. Entré au Conservatoire, il obtient le grand prix de Rome en 1839. De son séjour en Italie[14] datent une messe (1841) et un requiem (1842). Il songe à entrer dans les Ordres, mais son attirance pour la musique l'emporte. Il s'oriente vers le théâtre où il donne *Faust* (1859), *Philémon et Baucis* (1860), *Mireille* (1864), *Roméo et Juliette* (1867), qui jouissent toujours de la faveur des amateurs d'ouvrages dramatiques et se classent parmi les plus grandes réussites de la scène lyrique. Il séjourne à Londres de 1870 à 1874. À son retour, il revient au théâtre (*Polyeucte*, 1878), puis à l'oratorio avec *Rédemption* (1882) et *Mors et Vita* (1885).

À GOUNOD revient l'honneur d'avoir libéré notre art dramatique de la banalité, et parfois de la vulgarité, où il s'enlisait sous le règne d'AUBER et de MEYERBEER, et d'être un des créateurs de l'opéra français moderne. Conservant l'habituelle forme classique, il se montre capable de la renouveler d'une manière originale malgré quelques faiblesses. Il possède un sens mélodique aigu, un style coloré. À une époque marquée parfois de sécheresse et de convention, il a fait passer sur la scène un souffle de fraîche et pure poésie. Quelques-unes de ses mélodies pour chant et piano (*Le Vallon, Le Soir*) sur des paroles de LAMARTINE, annoncent les œuvres vocales de CHAUSSON, DUPARC, FAURÉ.

b. Bizet (1838-1875)

Issu d'une famille de musiciens, Georges BIZET obtient le grand prix de Rome en 1857. En Italie, il admire ROSSINI, mais

14. INGRES, *Portrait de Charles Gounod*, 1841, The Art Institute of Chicago.

à son retour, il subit passagèrement l'influence de l'art allemand. Pour le théâtre, il compose *Les Pêcheurs de perles* (1863), *La Jolie Fille de Perth* (1867), *Djamileh* (1872), puis ses deux chefs-d'œuvre : une musique de scène pour *L'Arlésienne* de Daudet (1872) et surtout *Carmen* (1875), d'après une nouvelle de Mérimée, accueillie avec indifférence mais qui connaît désormais une large notoriété.

Son œuvre orchestrale comprend, entre autres pages, une symphonie descriptive, *Roma* (1869), et une ouverture, *Patrie* (1874). Malgré la brièveté de son existence – il meurt à trente-sept ans –, il a laissé aussi un recueil pour piano à quatre mains – *Jeux d'enfants* (1872) – et des mélodies.

Comme Gounod, mais par un élargissement de l'opéra-comique, Bizet arrive à l'opéra de demi-caractère. Musicien souple et instinctif, il se distingue par ses brillantes qualités de coloriste et la richesse de son harmonie et de son instrumentation.

c. Massenet (1842-1912)

Entré au Conservatoire de Paris à onze ans, Jules Massenet obtient le grand prix de Rome en 1863. D'Italie, il rapporte son oratorio *Marie-Madeleine* et ses *Scènes napolitaines* (1865). Puis il compose une série d'œuvres orchestrales : *Scènes*

15. L'Opéra de Paris par Charles Garnier, 1875, coupe longitudinale.

hongroises (1871), ouverture de *Phèdre* (1874), musique de scène pour *Les Erinnyes* (1873), *Scènes pittoresques* (1874), *Scènes alsaciennes* (1881). Il devient professeur de composition au Conservatoire et entre à l'Institut. Se tournant vers le théâtre, il écrit *Hérodiade* (1881), *Manon,* d'après l'Abbé PRÉVOST (1884), *Le Cid* (1885), *Esclarmonde* (1889), *Werther,* d'après GOETHE (1893), *Thaïs* (1894), *Grisélidis* (1901), *Le Jongleur de Notre-Dame* (1904), *Don Quichotte* (1910).

Pendant plus d'un quart de siècle, MASSENET, doué d'une stupéfiante puissance de travail, a régné sans partage sur les scènes lyriques. Le charme et la séduction de sa mélodie expliquent son extraordinaire succès. Il excelle dans l'expression de la tendresse et de la volupté mais frise parfois la facilité. Son sens subtil de l'orchestration, son instinct du mouvement séduisent. Face à l'italianisme et au wagnérisme, il a maintenu l'esprit de la tradition française.

16. Henri FANTIN-LATOUR, *Autour du piano*, 1885, musée d'Orsay, Paris.

Au piano E. CHABRIER, tenant la partition, C. BENOIT, à droite debout et de profil, V. D'INDY.

d. Chabrier (1841-1894)

Emmanuel CHABRIER fait des études de droit et entre au ministère de l'Intérieur en 1862 mais, parallèlement, il travaille le piano[16] et la composition. Il débute avec un opéra-bouffe, *L'Étoile* (1877), puis donne au théâtre ses œuvres les plus caractéristiques : *Une éducation manquée* (1879), *Gwendoline* (1886), *Le Roi malgré lui* (1887), le premier acte de *Briséis*.

17. Une scène de *Coppélia* de Delibes.

Sa rhapsodie *España* (1883) obtient un succès considérable aux Concerts Lamoureux où Chabrier exerce les fonctions de chef des chœurs. Entretemps, il excelle dans le genre humoristique avec des pages symphoniques telles *La Bourrée fantasque* (1891), *La Joyeuse March*e (1888) et des mélodies (*Pastorale des cochons roses*, *Ballade des gros dindons*, *Villanelle des petits canards*).

Chabrier ne subit nullement l'attrait du groupe franckiste auquel il est lié d'amitié. Admirateur de Wagner et des peintres impressionnistes, il extériorise une verve comique, une truculence intarissable et une extraordinaire puissance de vie et de couleur. Par ses inventions rythmiques, harmoniques, orchestrales, par sa fantaisie et son humour exubérants, il a grandement influencé l'école française.

e. Contemporains et successeurs

Grand admirateur de Wagner, Ernest Reyer (1823-1902), critique au *Journal des Débats*, contribue au relèvement de l'art lyrique par la puissance de son tempérament (*La Statue*, 1861 ; *Sigurd*, 1884 ; *Salammbô*, 1890).

Léo Delibes (1836-1891), si français par la grâce et la légèreté (*Lakmé*, 1883), prépare la renaissance du ballet (*Coppélia*, 1870[17] ; *Sylvia*, 1876).

Réaliste, influencé par Zola qui lui fournira presque tous ses livrets, Alfred Bruneau (1857-1934) choisit de préférence ses

Quelques mois avant sa mort, son état ne lui permettant plus de composer, Chabrier écrit à Vincent d'Indy :

30 mars 1894.

❝ Mon cher Vincent,
Je désirerais vivement avant mon départ, avoir avec toi une entrevue sérieuse et définitive, au sujet de *Briséis*.
Mon œuvre pourrait être achevée assez facilement, grâce aux documents musicaux mis de côté et dont je devais me servir, et que je remettrai à toi seul. Nous partagerons les droits par parts égales entre nous deux. Depuis que j'ai commencé ce drame lyrique, je l'ai dédié à Madame Chabrier.
De tout cœur à toi

Emmanuel Chabrier

Conserve cette lettre. Ne la perds pas, je t'en prie. ❞

sujets dans la vie quotidienne (*Le Rêve*, 1891 ; *L'Attaque du moulin*, 1893 ; *Messidor*, 1897).

Gustave CHARPENTIER (1860-1956), connu pour sa suite symphonique *Impressions d'Italie* (1890) et son « roman musical » *Louise* (1900), subit également l'attrait des réalistes. Son art sincère et coloré cède parfois à une sentimentalité un peu extérieure.

Musicien-né, wagnérien enthousiaste, André MESSAGER (1853-1929) dirige l'orchestre de l'Opéra et de la Société des Concerts. Sa fraîcheur mélodique et sa grande habileté d'écriture donnent à ses opéras-comiques (*La Basoche*, 1890 ; *Fortunio*, 1907) et à ses opérettes (*Véronique*, 1898 ; *Passionnément*, 1927 ; *Coup de roulis*, 1928) une tenue parfaite, exempte de banalité.

2. RENOUVEAU SYMPHONIQUE

a. Lalo (1823-1892)

Appartenant à une famille d'origine espagnole fixée dans les Flandres, Édouard LALO, né à Lille, manifeste très tôt son goût pour la musique, tout en poursuivant de solides études littéraires. Excellent violoniste et altiste, il se tourne d'abord vers la musique de chambre, mais ses œuvres n'obtiennent aucun succès malgré leurs qualités. Il compose ensuite des pages orchestrales : *La Symphonie espagnole* (1875) que le violoniste SARASATE rend célèbre, la *Rhapsodie norvégienne* (1881), le *Concerto en fa mineur* pour piano et orchestre (1888), un ballet, *Namouna* (1881), mal accueilli à l'Opéra, et la *Symphonie en sol mineur* (1886). La légende bretonne du *Roi d'Ys* lui fournit un pittoresque canevas (1878), mais la partition, remaniée en 1886, ne voit les feux de la rampe qu'en 1888. Avec *Carmen*, elle marque la renaissance de notre art lyrique.

D'une distinction native, tendant toujours vers une plus grande noblesse de pensée et de style, LALO fait figure d'indépendant, un peu à la manière d'un DEGAS en peinture. Artiste au talent très personnel, possédant vigueur, sens du rythme et de la couleur, il compte parmi les plus libres, les plus purs et les plus audacieux musiciens de son temps.

b. Saint-Saëns (1835-1921)

Aussi précoce que MOZART, Camille SAINT-SAËNS étonne son maître STAMATY et donne son premier concert le 2 juin 1846. Il échoue au concours de Rome, mais il a déjà conquis une certaine notoriété. Organiste à l'église Saint-Merri (1853-1858), puis à la Madeleine (1858-1877), il devient en 1861 professeur de piano à l'école Niedermeyer où il exerce une influence indéniable sur ses élèves (Fauré, Messager), leur donnant le goût de la perfection classique. Commence alors la période de pleine maturité, durant laquelle il se tient à l'avant-garde du mouvement de rénovation artistique, participant à la formation de la **Société nationale de musique** (1871). Vers cette époque, il acclimate chez nous le genre du poème symphonique avec *Le Rouet d'Omphale* (1871), *Phaéton* (1873), *La Danse macabre* (1875), *La Jeunesse d'Hercule* (1877) ; il fait revivre l'oratorio (*Le Déluge*, 1876 ; *La Lyre et la Harpe*, 1879). Il aborde le théâtre : *La Princesse Jaune* (1872), *Le Timbre d'argent* (1877), *Samson et Dalila* – monté par son ami Liszt à Weimar dès 1877 –, *Étienne Marcel* (1879), *Henri VIII* (1883). Avec autant de maîtrise, il se montre à l'aise dans le genre de la symphonie, dont la troisième (1886), qui intègre l'orgue, atteint à une grandeur émouvante. Pour l'orchestre également, il écrit *La Suite algérienne* (1880) et *Le Carnaval des animaux* (1886). Il affirme un indéniable tempérament de poète dans de nombreuses mélodies et diverses partitions de musique de chambre : sonates, trios, quatuors, quintettes, septuor.

Outre sa production musicale très importante, Saint-Saëns a traité bien des sujets dans plusieurs ouvrages, entre autres *Harmonie et mélodie* (1885), *Rimes familières* (1890), *Problèmes et mystères* (1894), *Portraits et souvenirs* (1909).

18. Les orgues de Sainte-Clotilde à Paris, le buffet.

Pianiste et organiste renommé, musicien cultivé, d'une grande habileté, Saint-Saëns puise chez les classiques qu'il admire équilibre, élégance et clarté, qualités françaises caractéristiques. Maître dans l'art du contrepoint, il pare le tissu harmonique d'une savante et somptueuse orchestration. Par sa contribution à l'implantation du poème symphonique, il assume un rôle important dans l'histoire de la musique.

3. L'ÉCOLE FRANCKISTE

a. César Franck (1822-1890)

Né à Liège puis naturalisé français, César Franck entre au Conservatoire de Paris où il obtient un grand prix d'honneur de piano – créé pour lui –, un premier prix de fugue et un deuxième prix d'orgue. Après deux années passées en Belgique, il se fixe à Paris, vivant très simplement de nombreuses leçons de piano, et tient les orgues de Sainte-Clotilde[18, 19] à partir de 1859. Avec Saint-Saëns, il participe à la fondation de la Société nationale de musique. Nommé professeur d'orgue au Conservatoire en 1872, il attire, par sa modestie, sa bienveillance et la libéralité de son enseignement, de fervents disciples, respectueux des chefs-d'œuvre et d'une rigoureuse probité artistique.

Il approche de sa cinquantième année lorsqu'il compose ses ouvrages les plus importants. Une double nature s'y devine : le mystique, auquel nous devons maintes œuvres de haute spiritualité (messes ; motets – dont le célèbre *Panis Angelicus* – ; de nombreuses pièces pour orgue, desquelles se détachent les *Trois chorals*, 1890, son testament musical ; oratorios : *Rédemption*, 1871 ; *Les Béatitudes*, 1869-1879) ; le romantique, qui nous livre toute la véhémence de sa vie affective dans les quatre trios, le *Quintette* (1879), la *Sonate pour piano et violon* (1886) souvent exécutée, le *Quatuor à cordes* (1889), *les Variations symphoniques* pour piano et orchestre (1885), la *Symphonie en ré mineur* (1886-1888),

Franck fait œuvre de novateur dans l'emploi du chromatisme, des enchaînements de tonalités, dans l'importance du timbre. Pour l'orgue, il utilise une écriture symphonique s'opposant au dépouillement du contrepoint, et annonçant ainsi une nouvelle orientation que ses disciples développeront.

19. César Franck à l'orgue de Sainte-Clotilde photographié par J. Rongier.

les poèmes symphoniques (*Le Chasseur maudit*, 1882 ; *Les Djinns*, pour piano et orchestre, 1884 ; *Psyché*, 1887-1888), et quelques mélodies.

Improvisateur remarquable, FRANCK renouvelle le style des œuvres d'orgue et élargit les bases de la musique de chambre. Véritable créateur de l'école symphonique moderne, il reprend la tradition de BACH et de BEETHOVEN, à qui il emprunte la forme cyclique, consistant à construire tous les mouvements d'une œuvre sur un ou plusieurs mêmes thèmes (analogie avec le leitmotiv des drames wagnériens). Il subit l'influence des romantiques, dégage l'art du wagnérisme, alors dans tout son éclat, et aboutit à un classicisme solide, logique et clair.

b. Disciples de Franck

Nombreux sont les élèves de FRANCK qui, tout en conservant leur personnalité, ont puisé dans l'enseignement de leur maître un idéal artistique commun, fait de sincérité et d'honnêteté. Jusqu'au milieu du XXᵉ siècle – le dernier, Guy ROPARTZ, disparaît en 1955 – leur prosélytisme se maintient.

Henri Duparc (1848-1933)

Un des premiers disciples de FRANCK, Henri DUPARC, qui d'abord se destinait au droit, ne nous a laissé que peu d'œuvres. Dans le domaine symphonique, deux partitions seulement subsistent : *Lénore* (1875) et *Aux étoiles*, publiée en 1910, mais il exprime son sens créatif et sa personnalité surtout dans son recueil de douze mélodies, les plus anciennes datant de 1868. *La Chanson triste*, l'*Invitation au voyage, Phydilé, La Vie antérieure* constituent de véritables poèmes lyriques subtils et mélancoliques, au souffle large et profond, joyaux de l'art moderne. En 1885, la maladie contraint DUPARC à abandonner toute activité musicale et à se réfugier dans les Landes.

Vincent d'Indy (1851-1931)

Vincent D'INDY est sans conteste le plus célèbre disciple de FRANCK. Ami de DUPARC, il entre dans la classe d'orgue de FRANCK au Conservatoire, après la guerre de 1870. Il se rend à Weimar auprès de LISZT (1873) et assiste en 1876, à Bayreuth, aux premières représentations de *L'Anneau du Nibelung*. Il participe à la formation de la **Société nationale de musique** et fonde avec Alexandre GUILMANT et Charles BORDES la **Schola cantorum**, école de musique privée, gardienne des traditions franckistes, où il enseigne la composition jusqu'à sa mort[20].

Durant sa longue vie, exempte de soucis matériels, D'INDY aborde tous les genres. Orchestre : *Wallenstein* (1873-1881), *Sauge fleurie* (1884), *Symphonie sur un thème monta-*

Organiste et compositeur, Alexandre GUILMANT (1837-1911) entreprend avec grand succès de nombreuses tournées de concerts en Europe et en Amérique. En 1896 il succède à WIDOR à la classe d'orgue du Conservatoire. A côté de musique vocale surtout religieuses, il a beaucoup écrit pour son instrument.

gnard (1886), *Istar* (1897), *Deuxième symphonie en si bémol* (1903), *Jour d'été à la montagne* (1905), *Troisième symphonie* (1918), *Poème des rivages* (1921) ; théâtre, où il utilise le leitmotiv à l'exemple de W<small>AGNER</small> : *Le Chant de la cloche* (1883), *Fervaal* (1897), *L'Étranger* (1901-1903), *La Légende de saint Christophe* (1908-1915) ; musique de chambre : sonates, quatuors, trios ; musique de piano : *Poème des montagnes* (1881), *Tableaux de voyage* (1889) ; musique vocale ; musique religieuse ; œuvres pour orgue, auxquelles il faut ajouter son *Cours de composition musicale* et de nombreux articles de critique ou d'analyse.

Nature passionnée et volontaire, chrétien à la foi ardente et combative, Vincent D'I<small>NDY</small>, grand admirateur de l'art médiéval, apporte à l'architecture sonore la saine vigueur de sa race montagnarde.

20. Vincent D'I<small>NDY</small> et ses élèves de la Schola cantorum.

Ernest Chausson *(1855-1899)*

Après des études de droit, Ernest C<small>HAUSSON</small> entre au Conservatoire de Paris dans la classe de composition de M<small>ASSENET</small>, puis travaille avec César F<small>RANCK</small> de 1880 à 1883 et fréquente musiciens et peintres (D<small>UPARC</small>, F<small>AURÉ</small>, D<small>EBUSSY</small>, R<small>ENOIR</small>, D<small>EGAS</small>, C<small>ARRIÈRE</small>). De cette époque datent les *Sept mélodies* (1882) dont *Le Colibri*, poème de L<small>ECONTE DE LISLE</small>, souvent interprété, et un peu plus tard *Quatre Mélodies* (1882-1888) où se décèle une évolution harmonique. Avec D'INDY, il assiste en 1882 à la création de *Parsifal* à Bayreuth, DUPARC se joignant à eux l'année suivante. En 1889, il s'y rend avec DEBUSSY et CHABRIER pour les représentations de *Parsifal*, *Tristan et Isolde* et *Les Maîtres chanteurs*. Autour de 1890, il donne trois œuvres significatives : *Le Poème de l'Amour et de la Mer*, texte de M. BOUCHOR, pour soprano et orchestre, la classique *Symphonie en si bémol*, le *Concert pour piano, violon et quatuor à cordes*.

Dans les dernières années de sa vie, il compose *Serres chaudes* (1896, cinq mélodies sur des textes de MAETERLINCK), un *Quatuor* avec piano et le *Poème pour violon et orchestre* (1897), admiré par DEBUSSY, la *Chanson perpétuelle* (1898), sur un poème de Charles CROS, avec quatuor à cordes et piano. Le théâtre l'attirait, mais seule sa dernière partition, *Le Roi Arthus* (1892-1896) a été représentée (Bruxelles, 1903).

Venu tard à la musique et mort jeune, CHAUSSON a cependant beaucoup écrit. Il amalgame les influences du chromatisme wagnérien et de l'harmonie franckiste, se créant un langage personnel raffiné mais clair, aux dissonances et aux modulations subtiles, particulièrement dans sa musique vocale.

L'un des premiers, CHAUSSON révèle l'écrivain belge d'inspiration symboliste Maurice MAETERLINCK (1862-1949) qui a souvent inspiré des compositeurs de son temps : DEBUSSY *(Pelléas et Mélisande)*, DUKAS *(Ariane et Barbe-Bleue).*

c. Franckistes indépendants

Bordes (1863-1909)

Musicologue et compositeur, Charles BORDES fait d'abord carrière comme maître de chapelle à Nogent, puis à Saint-Gervais à Paris. Fondateur des **Chanteurs de Saint-Gervais** (1892) puis, avec deux de ses amis, de la **Schola cantorum** en 1894, il combat pour la renaissance de la musique des XVIe et XVIIe siècles et des folklores français et espagnol et édite une *Anthologie des maîtres religieux primitifs* à partir de 1893, des *Concerts spirituels*, un *Chansonnier du XVIe siècle*, *Onze chansons du Languedoc* (1906), *Dix danses, marches et cortèges du pays basque espagnol* (1908).

Les nombreuses activités de BORDES (direction de chœurs, publication de musique ancienne) ont beaucoup ralenti son œuvre de compositeur.

Lekeu (1870-1894)

Compositeur belge, Guillaume LEKEU se rattache à l'école française : études classiques à Poitiers, puis à Paris, tout en écrivant d'instinct plusieurs œuvres instrumentales. Devenu élève de FRANCK puis, après la disparition de son maître, de D'INDY, il obtient le second prix de Rome belge. Durant sa très courte carrière, il écrit, entre autres œuvres, une *Fantaisie sur deux airs populaires angevins* (1892) pour orchestre, *Trois poèmes*, texte et musique, une *Sonate pour violon et piano*, très souvent interprétée.

S'étant libéré de l'emprise wagnérienne, LEKEU se forme un style mélodique très personnel, annonçant l'approche de l'impressionnisme.

Pierné (1863-1937)

Élève de MASSENET et de FRANCK au Conservatoire de Paris, Gabriel PIERNÉ obtient le prix de Rome en 1882. Il succède à FRANCK à l'orgue de Sainte-Clotilde (1890), supplée COLONNE à l'association de concerts qui porte son nom, puis en prend la direction (1910-1934) et devient membre de l'Institut (1924). Indifférent à toutes les théories esthétiques, il montre toujours un souci de clarté et de solidité dans la structure, d'élégance dans le style, qu'il s'agisse de musique de chambre, de pages orchestrales (*Sérénade* pour orchestre à cordes), d'œuvres vocales (*L'An mil*, 1897 ; *La Croisade des enfants*, « légende musicale », 1902 ; *Les Enfants à Bethléem*, « mystère », 1907 ; *Saint-François d'Assise*, 1912) ; d'ouvrages lyriques (*Sophie Arnould*, 1927 ; *Fragonard*, 1934) ; de ballets (*Cydalise et le Chèvrepied*, 1923 ; *Impressions de music-hall*, 1927 ; *Giration*, 1934).

4. COMPOSITEURS D'OPÉRETTES

Issu de l'opéra-comique, les genres de l'opérette et de l'opéra-bouffe séduisent les spectateurs durant la seconde moitié du siècle. En France, deux compositeurs y excellent : Charles LECOCQ (1832-1918) auteur de *La Fille de Madame Angot* (1872) maintes fois représentée, et Jacques OFFENBACH (1819-1880).

Né en Allemagne, mais naturalisé français en 1860, OFFENBACH compose d'abord des pièces instrumentales (valses, danses, romances), puis écrit des ouvrages lyriques pleins de verve, de fantaisie et d'humour, que la société du Second Empire apprécie. Il compose une centaine d'œuvres : *La Belle Hélène* (1864), *La Vie parisienne* (1866), *La Grande Duchesse de Gérolstein* (1867), *La Périchole* (1868), *Les Brigands* (1869), sur des livrets ironiques ou caricaturaux de MEILHAC et HALÉVY. Après la défaite de 1870, il change de thèmes d'inspiration, et sa dernière œuvre, *Les Contes d'Hoffmann* (1880) met en scène un sujet où le fantastique et l'angoisse dominent.

En Autriche, les STRAUSS s'illustrent dans la musique de danse. Johann STRAUSS (1804-1849) « roi de la valse », se consacre uniquement à la musique de salon : 146 valses, des quadrilles, des galops, des polkas. Son fils, prénommé également Johann (1825-1899) continue dans la même voie avec 169 valses, la plus connue étant *Le Beau Danube bleu* (1867). Mais il compose également 16 opérettes, dont *La Chauve-Souris* (1874), *Le Baron Tzigane* (1885).

5. QUELQUES GRANDS INTERPRÈTES

a. Chanteurs

Depuis la plus haute Antiquité, la virtuosité vocale n'a cessé de séduire. Mais à partir du XVIIIᵉ siècle, l'influence italienne, qui apporte le goût du **bel canto**, accentue encore ce prestige, et les théâtres parisiens et étrangers s'attachent les plus grands artistes : le ténor béarnais Pierre JÉLYOTTE (1713-1782) ; Justine FAVART (1727-1772), excellente dans les opéras-comiques ; Antoine TRIAL (1736-1792), ténor à la voix frêle mais au jeu spirituel ; Jean-Blaise MARTIN (1769-1837), dont le nom demeure pour désigner une étendue vocale ; Jean ELLEVIOU (1769-1842) ; la DUGAZON, qui a attaché son nom à un rôle ; Marie-Cornélie FALCON (1812-1897) ; les ténors rivaux Adolphe NOURRIT (1802-1839) et Gilbert DUPREZ (1806-1896) ; les deux étoiles allemandes Wilhelmine SCHROEDER-DEVRIENT (1804-1860) et Henriette SONTAG (1806-1854) ; Maria-Félicité GARCIA, plus tard la MALIBRAN (1808-1835), magnifique voix de contralto, et sa sœur Pauline, devenue Pauline VIARDOT (1821-1910) ; l'italienne Julia GRISI (1811-1869) ; le « rossignol suédois » Jenny LIND (1820-1887) ; Madame CARVALHO (1827-1895), soprano lyrique ; le baryton FAURE (1830-1914) ; l'italienne Adelina PATTI (1843-1919) ; le ténor italien CARUSO (1873-1921) et la basse russe Fédor CHALIAPINE (1873-1938).

b. Instrumentistes

Parmi les pianistes, citons : CLEMENTI (1752-1832), CZERNY (1791-1857), MOSCHELÈS (1794-1870), Clara SCHUMANN (1819-1896), les grands romantiques CHOPIN et LISZT et le Polonais PADEREWSKI (1860-1941), universellement admiré.

Les violonistes virtuoses abondent depuis le XVIIᵉ siècle : les grands représentants de la technique italienne (CORELLI, TARTINI, PUGNATI, VIOTTI, le prestigieux PAGANINI, 1782-1840), les Français J.-M. LECLAIR, GAVINIÈS, RODE, KREUTZER, BAILLOT), le Belge Charles DE BÉRIOT (1802-1870), second mari de la MALIBRAN, l'Allemand JOACHIM (1831-1907), l'Espagnol SARASATE (1844-1908), le Liégeois Eugène ISAYE (1858-1931).

La lignée des grands violoncellistes commence dans le dernier tiers du XVIIIᵉ siècle avec l'Italien BOCCHERINI (1743-1805), qui fut également un compositeur fécond.

Chacun des instruments de l'orchestre a eu, et possède toujours, ses remarquables interprètes mais, de toute évidence, le grand public s'intéresse surtout aux exploits des chanteurs, des pianistes, des violonistes et, à un degré moindre, des violoncellistes.

La virtuosité instrumentale, en faveur à toutes les époques, prend, avec le développement des concerts publics au début du XVIIIᵉ siècle, un aspect nouveau. L'apparition du piano-forte et les derniers perfectionnements apportés à la famille des violons par les célèbres luthiers italiens suscitent une abondante floraison de virtuoses, souvent aussi connus par leur talent de compositeurs que par leur valeur exceptionnelle d'exécutants. Au XIXᵉ siècle, les améliorations réalisées par Adolphe SAX à la clarinette basse, et son invention de la famille des saxophones, élargissent considérablement les possibilités orchestrales.

CHAPITRE IX

XXᵉ siècle :
traditions et avant-garde

BRAQUE, *Violon et palette*, 1909, musée Guggenheim, New York.

1. Picasso, *Bouteille, verre et violon*, 1912-1913, papier collé et dessin, coll. Tzara.

Au début du XXe siècle se produit un éclatement des codes traditionnels, jusqu'alors conservés dans leur ensemble. Avec le *fauvisme* et surtout le *cubisme*[1], l'art se renouvelle et toutes les formes d'expression deviennent possibles. La peinture abstraite, avec KANDINSKI[2], apparaît en 1910. Après la grande cassure de la guerre de 1914-1918, le *surréalisme*, en rupture avec le passé, propose en littérature (BRETON, SOUPAULT, ARAGON) et dans tous les domaines plastiques (ERNST, DALI) une recherche nouvelle par l'exploration de l'inconscient, de l'insolite et leurs représentations.

Des compositeurs de premier plan, travaillant dans des voies différentes – parfois même opposées – tantôt isolés, tantôt comme les peintres et les sculpteurs groupés en chapelles plus ou moins artificielles, apportent un profond bouleversement dans la manière de s'exprimer. L'essentiel des recherches se fait principalement dans deux centres de création : Paris, qui maintient une certaine tradition et attire de nombreux artistes étrangers, et Vienne où s'élaborent des techniques d'écriture entièrement nouvelles.

En cette première moitié du XXe siècle, le ballet – surtout grâce aux *Ballets russes* de Serge DE DIAGHILEV – devient un genre noble, dans lequel les danseurs, évoluant dans des décors dus aux plus grands artistes (PICASSO, BRAQUE, MATISSE) et soutenus par une partition demandée à des compositeurs de renom (DEBUSSY, RAVEL, STRAVINSKI, PROKOFIEV, POULENC, AURIC, SATIE), expriment par la chorégraphie la diversité des sentiments et des situations. Comme tous les arts, la musique intègre des apports venus de divers pays, tels le jazz né aux États-Unis, des gammes asiatiques, des rythmes et des instruments exotiques.

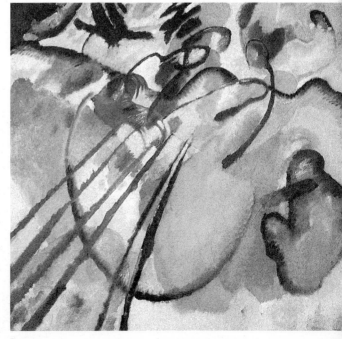

2. Kandinski, *Improvisation 26*, 1912, Munich, Städtische Galerie.

3. Matisse, *La Leçon de piano*, 1916, Museum of Modern Art, New York.

A. LA TRADITION RENOUVELÉE

1. FAURÉ (1845-1924)

Dès l'âge de huit ans, le jeune Gabriel FAURÉ montre d'exceptionnelles aptitudes musicales. Venu de son Ariège natale à Paris, il entre en 1854 à l'École de musique classique et religieuse de NIEDERMEYER, où il devient l'élève de SAINT-SAËNS et obtient les prix de piano, d'orgue, d'harmonie, de composition musicale. Sa carrière d'organiste le conduit aux fonctions de maître de chapelle à l'église de la Madeleine (1877). Il voyage en Allemagne (Weimar, Munich, Cologne), prenant contact avec l'art wagnérien, puis épouse en 1883 la fille du célèbre sculpteur animalier FRÉMIET. Titulaire du grand orgue de la Madeleine (1896), il succède la même année à MASSENET comme professeur de composition au Conservatoire et devient directeur de cette institution de 1905 à 1920. Sa surdité croissante l'empêche d'entendre ses dernières œuvres.

En dehors du *Requiem* (1887), FAURÉ n'a laissé que peu de compositions religieuses et sa contribution à l'art dramatique date de la dernière partie de sa vie : *Prométhée* (1900), *Pénélope* (1913). Sa production vocale, abondante, englobe des chœurs, trois recueils de mélodies, dont certaines *(Les Berceaux, Soir, Clair de lune, Les Roses d'Ispahan)* ont conquis le grand public, et plusieurs cycles *(La Bonne Chanson*, 1891-1892 ; *La Chanson d'Ève*, 1907-1910 ; *Le Jardin clos*, 1915-1918 ; *Mirages*, 1919 ; *LHorizon chimérique*, 1922). Ses œuvres destinées au piano : **nocturnes, barcarolles, impromptus, préludes, ballade** (1881) pour piano et orchestre, témoignent d'un parfait équilibre. Sa musique de chambre comprend deux sonates pour piano et violon, deux quintettes, deux quatuors, deux sonates pour piano et violoncelle. Il a également écrit de la musique de scène pour *Caligula* (1888) et *Shylock* (1889), des suites d'orchestre : *Pelléas et Mélisande* (1898) et *Masques et Bergamasques* (1919), ouvrage lyrique incluant des pièces anciennes.

Classique aux lignes pures, relativement peu tenté par le domaine symphonique, il garde toujours le souci des proportions. Musicien sensible, plein de charme et de pudeur, il exprime en demi-teintes, complexes et subtiles, sa tendresse parfois romantique. Par l'utilisation toute personnelle d'une harmonie raffinée, de modes anciens (influence de l'enseignement reçu de NIEDERMEYER), de modulations inattendues, par le dépouillement de plus en plus accentué de la phrase musicale, FAURÉ, longtemps incompris à l'étranger et même en France, a ouvert des voies nouvelles et donné un élan certain à la musique de chambre et à la mélodie moderne.

2. DEBUSSY (1862-1918)

Claude-Achille DEBUSSY naît à Saint-Germain-en-Laye dans une famille modeste. Ses parents le destinent à la marine, mais, précocement doué, il entre au Conservatoire en 1873. Élève d'Ernest GUIRAUD pour la composition, il obtient le prix de Rome en 1884, avec sa cantate *L'Enfant prodigue*. D'Italie, où il s'ennuie pendant deux ans, il envoie à l'Institut *Le Printemps* et *La Damoiselle élue*, accueillis avec réserve parce que trop modernes. Dédaignant les formules classiques dans ses œuvres suivantes, passionnément discutées, il donne libre cours à son originalité créatrice et n'accorde aucune concession au goût du public. Après deux voyages à Bayreuth (1889, 1890), il s'enthousiasme passagèrement pour WAGNER et connaît, à peu près à la même époque, la partition de *Boris Godounov* de MOUSSORGSKY, ce qui change sensiblement

En 1891, place Saint-Marc à Venise, FAURÉ compose les cinq mélodies opus 58 dites de « Venise ». Seule la première, *Mandoline,* est terminée lorsqu'il quitte cette ville.

Très éclectique dans le choix du support poétique, FAURÉ met en musique des textes de nombreux auteurs, entre autres : BAUDELAIRE *(Chant d'automne)*, LECONTE DE LISLE *(Les Roses d'Ispahan)*, VERLAINE (Cinq mélodies dites « de Venise », *Clair de lune,* le cycle de *La Bonne Chanson)*, SULLY-PRUDHOMME *(Les Berceaux)*.

Prix de Rome en 1859, Ernest GUIRAUD (1837-1892) professa l'harmonie puis la composition (1880) au Conservatoire de Paris où il avait fait ses études, avec parmi ses élèves DEBUSSY et DUKAS. Doué pour le théâtre, il a également écrit un *Traité pratique d'instrumentation.*

l'orientation de ses idées. Il fréquente peintres, poètes et musiciens et se lie d'amitié avec Victor SÉGALEN et Pierre LOUŸS. En 1892, il découvre le théâtre de MAETERLINCK et décide de mettre en musique *Pelléas et Mélisande*, dont les représentations, en 1902, suscitent une véritable bataille à cause de la nouveauté de sa structure et de son écriture. Dès lors célèbre, DEBUSSY mène toutefois une existence recluse mais extrêmement féconde. Il se sépare de sa femme et épouse peu après Mme Sigismond BARDAC : sa situation financière s'en trouve améliorée, ce qui lui permet de composer à l'abri des contraintes matérielles. Sa mort, en pleine guerre, passe presque inaperçue en France, mais provoque une grande émotion à l'étranger.

L'unique drame lyrique de DEBUSSY, *Pelléas et Mélisande*, sur un livret de MAETERLINCK, marque une date dans l'histoire musicale. Son œuvre vocale, d'une conception toute nouvelle et d'une technique bien personnelle, comporte, outre *La Damoiselle élue* et la musique de scène pour *Le Martyre de saint Sébastien* (1911) de D'ANNUNZIO, de nombreuses mélodies : *Ariettes oubliées* (1888), *Cinq poèmes* de BAUDELAIRE (1890), *Fêtes galantes* (1892), *Proses lyriques* (1893), *Chansons de Bilitis* (1897), *Trois chansons de Charles d'Orléans* (1908, pour chœur *a capella*), *Trois ballades de Villon* (1911), *Trois poèmes de Mallarmé* (1913). Pour l'orchestre, il compose un poème symphonique : *Prélude à l'après-midi d'un faune* (1892-1894) ; *Trois nocturnes* (*Nuages*, *Fête*, *Sirènes*, 1899), *La Mer* (1905), *Images* (1909) ; et trois ballets : *Jeux* (1912), *Khamma*, orchestré par KŒCKLIN (1912), *La Boîte à joujoux* (1913). À ses pièces pour piano : *Estampes* (1903), *Children's corner* (1908), *Préludes* (1909-1910 et 1910-1913), *Études* (1915), il faut ajouter son *Quatuor à cordes* (1893) et trois sonates.

Très attiré par les poètes symbolistes (MALLARMÉ, VERLAINE, Pierre LOUŸS) et par les peintres préraphaélites et impressionnistes[4], DEBUSSY trouve à leur contact le climat favorable à l'épanouissement de son génie. L'influence de MASSENET, de WAGNER et de CHABRIER ne dure guère ; les Russes l'orientent vers une plus grande liberté de la phrase musicale, vers une spontanéité et une souplesse qui répudient toute grandiloquence et toute vaine réthorique. Par l'emploi de gammes exotiques, de la gamme pentatonique, de la gamme par tons entiers, de la modalité issue du Moyen Âge, il enrichit considérablement la palette sonore. Poète et peintre subtil, aux harmonies raffinées et fuyantes, au rythme complexe, il crée un climat chatoyant et mystérieux. Bouleversant les règles traditionnelles, inventant des procédés inédits et des sonorités exceptionnelles, il ouvre des voies nouvelles.

3. RAVEL (1875-1937)

Entré au Conservatoire de Paris en 1889, Maurice RAVEL y travaille la fugue avec GÉDALGE et la composition avec FAURÉ. Sa personnalité accusée le fait exclure du concours de Rome, bien qu'il ait déjà obtenu un second prix. Sans événements marquants, sa vie se déroule dans une totale indépendance, toute consacrée à l'art et jalonnée de chefs-d'œuvre d'une rare perfection. En 1910, il participe à la fondation de la **Société musicale indépendante**, rivale de la **Société nationale de musique**. La représentation de *L'Heure espagnole* à l'Opéra-Comique en 1911 et celle de *Daphnis et Chloé* par les Ballets russes (théâtre du Châtelet, 1912) le placent désormais au rang des plus grands maîtres de la musique moderne. Au lendemain de la guerre de 1914, il entreprend de nombreuses tournées à l'étranger, où ses œuvres connaissent d'éclatantes réussites. En 1933, il ressent les premiers symptômes de l'affection cérébrale qui le privera peu à peu de ses facultés créatrices.

Dès ses débuts, RAVEL ne donne que des œuvres parfaitement achevées :

– Pour le piano : *Pavane pour une Infante défunte* (1899), *Jeux d'eau* (1901), *Sonatine* et *Miroirs* (1905), *Ma mère l'oye*

4. MONET, *Tempête, côtes de Belle-Ile*, 1886, musée d'Orsay.

5. M. RAVEL, *Le Cri du paon.*

6. Dessin de Toulouse-Lautrec pour les *Histoires Naturelles* de Jules Renard.

Parmi les animaux évoqués, Ravel met en musique le paon, le grillon, le cygne, le martin-pêcheur et la pintade.

❝ Ce sera l'éternelle gloire de Wagner d'avoir pressenti, par-delà les plates conventions et les écœurantes banalités de l'opéra, cette loi d'unification qui tend à grouper de nouveau en un seul faisceau les différentes formes de l'art. [...] Soutenu et guidé par le génie de la musique, échauffé par ses flammes vivifiantes, il put à son aise tout oser et tout accomplir. Sans lui, il n'eut été qu'un esthéticien supérieur, par lui seulement il fut un artiste et fit œuvre de créateur. ❞

Dukas : « La Musique et la Littérature » (extrait), *Revue hebdomadaire*, 24 septembre 1892.

(1908, pour piano à quatre mains, orchestrée en 1912), *Valses nobles et sentimentales* (1911, orchestrées en 1912), *Le Tombeau de Couperin* (1914-1917).

– Musique de chambre : *Quatuor en fa* (1903), *Trio en la* (1914), deux sonates, l'une pour violon et violoncelle (1922), l'autre pour violon et piano (1923-1927).

– Mélodies : *Shéhérazade* (1903), *Histoires naturelles* (1906, texte de Jules Renard[5, 6]), *Trois poèmes de Stéphane Mallarmé* (1913), *Chansons madécasses* (1920).

– Musique symphonique : *Rhapsodie espagnole* (1907), *Pavane pour une Infante défunte* (orchestrée en 1910), *Alborada del gracioso* (orchestrée en 1919), deux concertos pour piano et orchestre (1931), dont l'un pour la main gauche.

– Ballets : *Daphnis et Chloé* (Ballets russes, 1912), *La Valse* (1919), *Boléro* (1928).

– Théâtre : *L'Heure espagnole* (1907, comédie musicale, Opéra-Comique, 1911), *L'Enfant et les Sortilèges*, fantaisie lyrique sur un texte de Colette (théâtre de Monte-Carlo, 1925).

Basque par sa mère, Ravel trouve son inspiration dans la musique populaire espagnole, dans la danse et la féérie. Par atavisme, il affectionne les rythmes ibériques, nerveux et racés. Son sens du mouvement se devine dans ses pages chorégraphiques. Il se plaît dans l'atmosphère irréelle de l'enfance, dont il a gardé la candeur. Passant parfois à tort pour un disciple de Debussy, il s'éloigne totalement de l'impressionnisme à l'architecture assez indécise et retrouve la précision et la rigueur de la tradition classique. Poète à l'esprit logique et lucide, à la technique nette et impeccable, il exprime sa sensibilité raisonnée par l'originalité de sa mélodie s'appuyant sur des modes anciens et des gammes pentatoniques, par le raffinement de son harmonie et la magie de son orchestration.

4. Dukas (1865-1935)

Condisciple de Debussy à la classe de composition d'Ernest Guiraud au Conservatoire de Paris, Paul Dukas obtient le second prix de Rome en 1888. Sa production, peu abondante mais longuement méditée et d'une rare qualité, comprend : l'*Ouverture pour Polyeucte* (1891), la *Symphonie en ut majeur* (1896), *L'Apprenti Sorcier*, scherzo d'après une ballade de Goethe (1897), devenu immédiatement célèbre, la *Sonate pour piano en mi bémol mineur* (1901), *Variations, Interlude et Finale sur un thème de Rameau* (1903, pour piano), *Ariane et Barbe-Bleue*, conte lyrique en trois actes, poème de Maeterlinck (création à l'Opéra-Comique en 1907), *La Péri*, poème dansé précédé d'une *Fanfare pour la Péri* (théâtre du

Châtelet, 1912). Dès lors, le musicien se confine jusqu'à sa mort dans un silence presque total et inexplicable.

D'une rigueur excessive envers lui-même, tel le peintre CÉZANNE déchirant ses esquisses, il a détruit maintes partitions qu'il jugeait sans doute imparfaites. Esprit large et de vaste culture, il publie des articles de critique musicale d'un intérêt exceptionnel, dans la *Revue hebdomadaire* (1892-1901), la *Gazette des Beaux-arts* (1894-1902), la *Chronique des arts et de la curiosité* (1894-1905), le *Quotidien* (1923-1924), la *Revue musicale* (1923-1932), que réunissent les *Écrits sur la musique de Paul Dukas*, publiés en 1948, après sa disparition. Par la perfection de ses ouvrages, par la qualité des élèves qu'il a formés dans sa classe de composition au Conservatoire de 1928 à 1935, il exerce une vivifiante influence sur la musique. Bien que peu joué à l'heure actuelle, il compte, avec FAURÉ, DEBUSSY et RAVEL, parmi les compositeurs les plus importants de la première moitié du XXe siècle.

5. ROUSSEL (1869-1937)

Officier de marine, Albert ROUSSEL n'obéit qu'assez tard à sa vocation musicale. Devenu élève de Vincent D'INDY à la **Schola Cantorum** (1898), il enseigne bientôt le contrepoint, de 1902 à 1914, dans cet établissement, et y forme des disciples qui feront carrière, dont VARÈSE et LE FLEM. Si ses nombreuses croisières lui inspirent quelques-uns de ses meilleurs ouvrages : *Évocations* (1911), trois tableaux pour orchestre au souffle puis-

7. Décor pour *Ariane et Barbe Bleue* réalisé par Hans Dieter SCHAAL en 1991.

Un inédit de Paul DUKAS
Ariane et Barbe-Bleue
(moralité à la façon des contes
de PERRAULT) (1910)

66 Personne ne veut être délivré. La délivrance coûte cher parce qu'elle est l'inconnu, et que l'homme (et la femme) préférera toujours un esclavage « familier » à cette incertitude redoutable qui fait tout le poids du «fardeau de la liberté ». Et puis la vérité est qu'on ne peut délivrer personne : il vaut mieux se délivrer soi-même. Non seulement cela vaut mieux, mais il n'y a que cela de possible. Et ces dames le montrent bien (très gentiment) à cette pauvre Ariane qui l'ignorait... et qui croyait que le monde a soif de liberté alors qu'il n'espère qu'au bien-être : dès qu'on a tiré ces dames de leur cave, elles lâchent leur libératrice pour leur bijoutier-bourreau (beau garçon d'ailleurs) comme il convenait ! C'est là le côté « comique » de la pièce, car il existe, au moins dans le poème, un côté satirique dont la musique ne pouvait tenir compte sans rendre l'ouvrage tout à fait inintelligible. 99

Revue musicale, 1923.

sant, *Padmâvati* (1914-1918), somptueux opéra-ballet ; s'il écrit un opéra-bouffe, *Le Testament de tante Caroline* (1937), il affectionne également la musique instrumentale : symphonies, concerto, suite, sonates, trio, quatuors à cordes, mélodies, ballets (*Le Festin de l'araignée*, ballet-pantomime, 1912 ; *Bacchus et Ariane* 1930).

Dans toute sa production, ROUSSEL affirme des qualités personnelles de constructeur à l'imagination tantôt délicate et tendre, tantôt forte et incisive, servie par une richesse d'écriture d'une séduisante magie. Son utilisation des modes exotiques, ses recherches rythmiques, ses audaces harmoniques, son dynamisme, apportent beaucoup de vie et d'attrait à ses compositions.

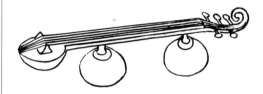

8. Une vînâ, instrument à cordes traditionnel des Indes.

6. SCHMITT (1870-1958)

Curieux de toutes les nouveautés, indifférent aux fluctuations des modes, et par-dessus tout indépendant, Florent SCHMITT obient le prix de Rome en 1900. Durant son séjour à la Villa Médicis, il voyage en Europe et au Proche-Orient. Classique par son souci de clarté et d'équilibre dans la construction, romantique par son exubérance, il s'est qualifié de néo-romantique. Dès 1909, il appartient au comité de la Société nationale indépendante ; en 1936, il devient membre de l'Institut et, deux années plus tard, il assure la direction de la Société nationale de musique. Il reçoit en 1957 le grand prix musical de la Ville de Paris.

De sa vaste production, aux titres parfois humoristiques (*Cançunik*, 1929 ; *Clavecin obtempérant*, 1947), se détachent le *Quintette pour piano et cordes* (1908), le *Psaume XLVII* pour soli, chœurs et orchestre (1904), *La Tragédie de Salomé*[9], drame muet (1907), *Le Petit Elfe Ferme-l'Œil*, ballet (1912), *Oriane et le Prince d'amour*, tragédie dansée (1934), la *Symphonie concertante* (1932), le *Trio à cordes* (1944), le *Quatuor* (1947), *En bonnes voix* (1938), peut-être son meilleur recueil de chœurs. D'autre part, il a tenu la rubrique musicale du journal *Le Temps* durant dix années (1929-1939).

Rigueur de la structure, richesse et vigueur de la pensée, opulence du langage, rutilance de l'orchestre : tels sont les caractères dominants de l'œuvre de Florent SCHMITT qui, par

9. Affiche de 1919 pour *Salomé* de Florent SCHMITT.

son traitement des accords, annonce les nouveautés d'écriture de STRAVINSKI et de SCHOENBERG et qui mérite une audience égale à celle des plus grands compositeurs de son temps.

7. IBERT (1890-1962)

Prix de Rome en 1919, directeur de la villa Médicis à Rome de 1936 à 1940, puis de 1946 à 1960, élu à l'Académie des beaux-arts en 1956, Jacques IBERT est un musicien spirituel et fin. Parmi ses nombreuses œuvres, les *Histoires* pour piano (1922), les *Escales* pour orchestre (1922), l'opéra-bouffe *Angélique* (1926), les ballets *Diane de Poitiers* (1934) et *Le Chevalier errant* (1938) prouvent à la fois la diversité d'inspiration et la maîtrise de style.

Souvenir d'un périple méditerranéen, Les Escales évoquent trois paysages baignés de lumière : Rome – Palerme, Tunis – Nefta, Valencia.

B. LA RUPTURE

En réaction contre le naturalisme et l'impressionnisme, l'expressionnisme, mouvement artistique pictural à l'origine, gagne tous les arts. Il se développe surtout en Allemagne : le groupe **Die Brücke** (Le Pont) apparaît à Dresde en 1905 et le groupe **Der Blaue Reiter** (Le Cavalier bleu) se crée en 1911 à Munich. Malgré le désir de KANDINSKI de faire une œuvre de synthèse, la musique demeure en retrait. Elle cherche seulement à traduire la violence de la tension, utilisant toute l'échelle sonore, privilégiant certains intervalles dissonants (seconde, quarte, septième). Les Viennois, amplifiant à l'extrême les élargissements post-romantiques dans le domaine de l'écriture et rejetant les codes traditionnels, aboutissent à l'atonalisme et au dodécaphonisme. SCHOENBERG établit des règles nouvelles et contribue, à partir de 1903, à la formation de deux de ses meilleurs disciples : WEBERN et BERG.

1. SCHOENBERG (1874-1951)

A peu près autodidacte, Arnold SCHOENBERG, qui exerce diverses fonctions à Vienne puis à Berlin, compose d'abord de la musique de chambre où se devinent les influences de WAGNER (chromatisme) et de BRAHMS (clacissisme de la forme). De retour à Vienne, il se lie avec MAHLER, directeur de l'Opéra de la Cour, qui le soutient activement pour l'exécution de ses œuvres. A partir de 1907, il s'adonne, pour quelques années, à la peinture[10] et présente des œuvres à l'exposition du **Blaue Reiter** à Munich en 1911. Parallèlement, ses recherches d'un nouveau système d'écriture le conduisent à utiliser l'**atonalité** (derniers mouvements du **Deuxième Quatuor à cordes**, 1907-1908),

10. SCHOENBERG, *Autoportrait*, vers 1909, Vienne, musée historique de la ville

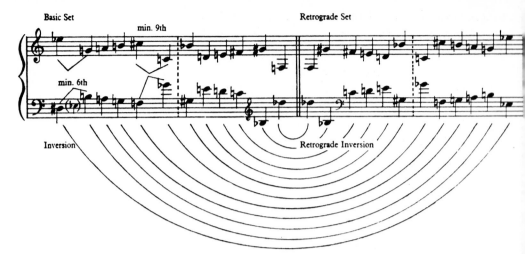

11. SCHOENBERG, série fondamentale et ses formes-miroirs, série extraite du *Quintette pour instruments à vent opus 26.*

> ❝ Le style, qui est la qualité propre à une œuvre, découle de facteurs naturels distincts de l'artiste. De fait, celui qui a conscience de ses propres capacités peut dire d'avance à quoi ressemblera exactement, une fois achevée, l'œuvre qu'il ne voit encore qu'en imagination. Mais il ne procède jamais à partir de l'image préconçue d'un style : il se préoccupe uniquement de ne pas trahir ses idées. Il a la certitude que, s'il a satisfait à tout ce qu'elles exigent pour être exprimées, leur formulation matérielle sera nécessairement bonne... ❞
>
> SCHOENBERG : « La musique moderne », 1946, extrait de *Le Style et l'Idée.*

procédé dans lequel tous les degrés de la gamme chromatique ont la même importance. S'opposant aux abus sonores des romantiques, il allège l'orchestre, créant la **klangfarbenmelodie** (mélodie de timbres) qui naît avec ses *Cinq pièces pour orchestre* (1909). En 1911 paraît son *Traité d'harmonie*, que divers autres ouvrages complèteront.

Avec *Pierrot lunaire* (1912), il utilise le **sprechgesang** (chant parlé) où, dans un rythme précis, les notes indiquent approximativement la hauteur du son et se lient entre elles par un port de voix. Continuant ses investigations de 1918 à 1921, SCHOENBERG aboutit à la **musique sérielle** ou dodécaphonisme (valse terminale des *Cinq pièces pour piano* et *Suite pour piano*, 1921-1923), construction établie sur une série des douze sons de la gamme chromatique présentés dans un ordre immuable préétabli. Dès lors, il s'oriente vers une extrême complexité (*Quintette à vents*, 1923-1924[11] ; *Troisième quatuor à cordes*, 1927 ; *Variations pour orchestre*, 1926-1928 ; *Von Heute auf Morgen (D'aujourd'hui à demain)*, opéra-bouffe, 1928-1929).

Chassé de sa classe de composition de l'Académie des arts de Berlin par l'arrivée d'HITLER au pouvoir, il se réfugie en France durant quelques mois puis se fixe aux États-Unis où il écrit son *Concerto pour violon et orchestre* et son *Quatrième quatuor à cordes* en 1936, son *Concerto pour piano et orchestre* en 1942, et publie *Style and Idea* (1950), recueil d'écrits traduits en français en 1977.

2. WEBERN (1883-1945)

Après ses études secondaires, Anton WEBERN s'inscrit en philosophie et en musicologie à l'université de Vienne et termine sa formation par une thèse de doctorat sur *Isaac* (1900). Devenu de 1904 à 1908 l'élève de SCHOENBERG, qu'il admire, il compose, tout en gagnant sa vie comme chef d'orchestre et chef de chœur. Mais il perd peu à peu ses fonctions lorsque monte le nazisme, en 1933.

La *Passacaille* (1908), nettement tonale, ses *Cinq mouvements pour quatuor à cordes* et ses *Six pièces pour orchestre* de 1909 présentent encore certaines tendances expressionnistes. Commence ensuite une période où il recherche une plus grande lisibilité et compose des œuvres dépouillées, très courtes, telles les *Cinq pièces pour orchestre* (1913), d'une durée totale de six minutes, dans lesquelles les cordes se réduisent à un quatuor, et qui montrent en même temps une exploitation très poussée de la **klangfarbenmelodie**. Ses lieder (1907-1909) vont déjà au-delà de la tonalité, mais WEBERN n'utilise le système sériel qu'à partir des *Trois Wolkstexte* (1924) pour soprano, clarinette, clarinette basse, violon et alto. Dans le *Concerto pour neuf instruments* (1934), il divise la série en plusieurs sections, apportant ainsi plus de clarté au texte musical. L'élargissement de la série au rythme, aux accords, à l'instrumentation, ont influencé bon nombre de compositeurs européens et américains.

3. BERG (1885-1935)

Issu d'une famille cultivée, amateur de littérature, Alban BERG compose déjà durant ses études. De 1904 à 1910, il devient l'élève de SCHOENBERG, écrit des lieder et le *Quatuor à cordes*, mais il s'intéresse aux œuvres de Richard STRAUSS – surtout *Salomé* – et de MAHLER. Dès 1914, après avoir assisté à une représentation de *Woyzeck*, pièce de BUCHNER, il songe à mettre ce drame en musique. Terminé en 1922, *Woyzeck*, créé à Berlin en 1925, suscite des réactions mais lui apporte enfin une certaine notoriété. L'œuvre est en effet originale par sa structure : chacune des quinze scènes présente une structure assez classique, mais avec une écriture très libre où l'influence de SCHOENBERG apparaît. La même année, il donne le *Concert de chambre* pour piano, violon et treize instruments à vent, en hommage à son maître, et commence la *Suite lyrique* pour quatuor à cordes. Presque immédiatement, en 1928, il pense à un second opéra, *Lulu*, d'après WEDEKIND, plus expressionniste que *Woyzeck* mais dont il ne peut achever l'orchestration. Très touché par la mort de la fille d'Alma MAHLER, il écrit le *Concerto à la mémoire d'un ange* (1935), sa dernière œuvre, et peut-être la mieux réussie, où l'expressionnisme n'a plus sa place.

Par l'originalité de son style, qui amalgame éléments traditionnels et apports contemporains, par l'opposition de ses tendances naturelles caractéristiques, pour le drame et pour le lyrisme, BERG appartient au groupe des meilleurs compositeurs de son époque.

Structure des quinze scènes de *Woyzeck*.
– Acte I : Prélude et suite en cinq parties, Rapsodie, Marche-Berceuse, Passacaille (21 variations), Andante.
– Acte II : Allegro sonate, Fantaisie et Fugue, Largo, Scherzo, Rondo Martiale.
– Acte III (Inventions) sur un thème, sur une note, sur un rythme, sur un accord de 6 sons, Interlude sur un rythme obstiné.

C. LES INDÉPENDANTS

Déjà très discuté par BERG dans sa forme rigoureuse, le sérialisme se dilue quelque peu une vingtaine d'années après son apparition.

1. HINDEMITH (1895-1963)

Comme tous les musiciens d'Allemagne et d'Europe centrale, Paul HINDEMITH subit l'emprise post-romantique, mais il s'en dégage rapidement. D'abord violoniste, il se perfectionne dans son métier de compositeur et s'intéresse aussi à la pédagogie[12], ce qui l'amène à exposer ses théories dès 1937. S'opposant à l'atonalisme et au dodécaphonisme prônés par SCHOENBERG, il insiste sur l'importance de la tonique. De 1927 à 1938, il enseigne la composition à la **Hochschule für Musik** de Berlin. Il part ensuite pour les États-Unis et devient professeur à l'université de Yale (1940-1953). De retour en Europe, il occupe la même fonction à Zürich (1951-1957). Durant la période 1924-1939, avant son départ pour les États-Unis, il abandonne les aspects révolutionnaires de son écriture et compose dans un style néoclassique, moins chargé, présent entre les deux guerres chez beaucoup d'artistes. De ces années datent *Marienleben* (*Vie de Marie*, 1924), le *Concerto pour harpes et cuivres* (1930), le *Concerto pour alto* (1934), *Mathis le peintre* (1938), des sonates pour piano et pour divers instruments, des lieder, des chœurs. Son activité d'enseignant explique sans doute l'académisme dont il fait preuve dans ses dernières œuvres.

2. BARTÓK (1881-1945)

Très jeune, Béla BARTÓK pratique le piano et s'initie à la composition. En 1899, il entre à l'Académie royale de musique de Budapest, où il enseigne le piano à partir de 1907. Mais déjà KODALY l'oriente vers le folklore et il découvre la musique de DEBUSSY. Avant même la guerre de 1914-1918, de nombreuses œuvres jalonnent sa carrière, dont l'*Allegro barbaro* (1911), suite pour piano au rythme percutant, et, la même année, *Le Château de Barbe-Bleue*[13] refusé par l'opéra de Budapest, *Le Prince de bois* (ballet, 1912). Sa pantomime *Le Mandarin merveilleux* ne paraîtra qu'en 1919. Son exploration systématique du folklore hongrois, des pays voisins et même plus lointains, enrichit sa palette. Les innovations de SCHOENBERG l'intéressent à partir de 1920. Il écrit assez peu pour la voix, beaucoup pour le piano et l'orchestre. De son abondante production, les œuvres de musique de chambre constituent la meilleure partie : six

12. J. SCHMIDT, affiche pour l'exposition du Bauhaus, Weimar, 1923.

Des écoles très modernes, pour les arts plastiques ou la musique, se développent en Allemagne. Elles devront fermer tour à tour avec la montée du nazisme. Les enseignants (artistes et musiciens) se réfugient alors aux États-Unis, pays neuf où toute expression est possible.

13. Décor pour *Le Château de Barbe Bleue* de Béla BARTÓK, mis en scène par Marcel LAMY en 1959.

quatuors à cordes (1908-1939), *Musique pour cordes, percussion et celesta* (1936), *Sonate pour piano et percussion* (1937), *Mikrokosmos* (1926-1937), ensemble didactique pour piano, groupé en six volumes, de pièces de difficulté progressive. Dans ses dernières partitions (*Concerto pour violon*, 1938 ; *Concerto pour orchestre*, 1943), il revient à un style plus dépouillé, s'apparentant au néoclassicisme.

BARTÓK a également publié une *Méthode de piano* (1913) des textes pour illustrer la *Méthode : Les Débutants au piano* (1929), ainsi que de nombreuses études.

Le facteur le plus caractéristique et le plus original chez BARTÓK est certainement la recherche de synthèse d'éléments divers savants et populaires (diatonisme, chromatisme, gamme acoustique, section d'or, folklore) issus du passé ou de l'époque contemporaine, et totalement assimilés.

3. STRAVINSKI (1882-1971)

Né en Russie, installé en Suisse de 1914 à 1920, puis en France jusqu'en 1939, enfin aux États-Unis – mort à New York –, Igor STRAVINSKI, dont la vie s'étend sur plus des deux tiers du XXᵉ siècle, reflète dans son œuvre les innovations musicales des divers pays où il séjourne.

Ses études auprès de RIMSKI-KORSAKOV terminées, il écrit un opéra, *Le Rossignol* (1909-1914) et trois ballets : *L'Oiseau de feu* (1910), où déjà se manifeste sa maîtrise rythmique, *Petrouchka* (1911) dont la bitonalité, superposant les accords de do et de fa dièse, symbolise les deux identités du personnage (marionnette et être humain) et *Le Sacre du Printemps* (1913)[14] qui déconcerte par sa polytonalité et ses obsédantes répétitions rythmiques. *Les Noces* (1918), qu'il compose en Suisse, continuent dans la même voie. Avec *Renard* (1916) et surtout *L'Histoire du soldat* (1918), où il pastiche les danses occidentales à la mode et introduit le célèbre choral luthérien *Ein feste Burg*, il semble s'éloigner de ses racines russes.

Sous l'influence de DIAGHILEV, directeur des Ballets russes, il entame un retour au classicisme, le néoclassicisme, avec *Pulcinella* (1919), sur une musique adaptée de PERGOLÈSE. Dans le même esprit, il compose l'*Octuor pour instruments à vent* (1923), *Œdipus rex* (1927), *Apollon musagète* (1928), *Le Baiser de la fée* (1928), *Orphée* (1947), la *Messe* (1944-1948), *The Rake's Progress* (*La Carrière d'un libertin*, 1948-1951). Mais sa *Symphonie des psaumes* (1930), dans laquelle il inclut du chant grégorien, exprime la foi profonde du musicien.

Nouveau virage inattendu en 1952, avec l'apparition dans son œuvre du dodécaphonisme qu'il avait tant combattu. Après *Canticum sacrum* (1956), *Agon* (ballet, 1957), *Threni* (1958), il continue à produire chaque année une nouvelle partition.

Reflet de son temps par ses incursions successives dans tous les styles, STRAVINSKI, d'une stupéfiante habileté – surtout dans ses inventions rythmiques –, se classe parmi les novateurs et domine son époque de toute la puissance de son génie.

14. Quelques mouvements du *Sacre du printemps* de STRAVINSKI illustrés par Valentine HUGO.

D. LES AFFINITÉS

Deux groupes de musiciens, le Groupe des Six et l'École d'Arcueil – qui n'auront qu'une assez brève existence –, se recommandent successivement du parrainage d'Érik SATIE (1866-1925). Élève au Conservatoire de Paris de 1879 à 1882, il n'apprécie pas l'enseignement trop formaliste de l'établissement. Il mène ensuite une vie de pauvreté, assez libre, fréquentant aussi bien Notre-Dame que le cabaret du Chat Noir à Montmartre. Les courtes pièces aux sonorités insolites écrites durant cette période (*Trois sarabandes*, 1887 ; *Trois gymnopédies*, 1888 ; *Trois gnossiennes*, 1890 ; *Trois préludes* pour *Le Fils des étoiles*, 1891 ; la *Messe des pauvres*, 1895 ; *Pièces froides*, 1897) défient toute analyse classique. Après ses *Trois morceaux en forme de poire* pour piano à quatre mains (1903), conscient de ses faiblesses musicales, il entre à la Schola cantorum dans les classes de SÉRIEYX et ROUSSEL. Entre 1906 et 1914, il publie des œuvres brèves aux titres provocants, qui séduisent tous les jeunes d'avant-garde : *En habit de cheval*, *Préludes flasques pour un chien*, *Descriptions automatiques*, *Embryons desséchés*, *Croquis et agaceries d'un gros bonhomme en bois*, *Trois valses distinguées du Précieux dégoûté*, *Sports et divertissements*. En 1917, il atteint à la renommée avec la partition de ballet *Parade*, sur un argument de COCTEAU, commande de DIAGHILEV pour les Ballets russes, dont la représentation suscite un scandale. Suivent une œuvre de haute valeur, d'une grandeur dépouillée, d'un langage simple, *Socrate*, puis cinq *Nocturnes* pour piano, *La Belle excentrique* pour piano à quatre mains, des mélodies, *Ludions*, et deux ballets, *Mercure* et *Relâche*.

15. PICASSO (au centre), assis sur le rideau de scène de *Parade* de SATIE, qu'il vient d'achever.

1. LE GROUPE DES SIX

Sous l'égide du poète Jean COCTEAU, ce groupe[16] réunit, après la Première Guerre mondiale, des compositeurs aux tempéraments très divers : Louis DUREY (1888-1979), Germaine TAILLEFERRE (1892-1983), Arthur HONEGGER (1892-1955), Darius MILHAUD (1892-1974), Francis POULENC (1899-1963) et Georges AURIC (1899-1983).

a. Honegger (1892-1955)

Tout jeune, Arthur HONEGGER atteint à la célébrité avec un oratorio, *Le Roi David* (1921), qui sera suivi de plusieurs autres : *Judith* (1925), *Jeanne d'Arc au bûcher* (1935) sur des poèmes de Paul CLAUDEL, *La Danse des morts* (1938) également sur un texte de Paul CLAUDEL, *Nicolas de Flue* (1939-1940) et *Une cantate de Noël* (1953). Mais il aborde aussi la musique de chambre et la musique symphonique (cinq symphonies, trois mouvements symphoniques, dont l'un, *Pacific 231*, datant de 1923, a conquis la faveur du public). Il a beaucoup écrit pour le théâtre. Avec *Antigone* (texte de Jean COCTEAU d'après SOPHOCLE, 1924-1927), il essaie de renouveler la déclamation lyrique. On lui doit également des ballets, des musiques de scène et des partitions cinématographiques. Toutes ses œuvres montrent un souci de solidité et de rigueur dans la structure, et son langage, malgré les fortes influences de son époque, ne rompt jamais totalement avec l'écriture tonale.

16. Tableau de J. E. BLANCHE (détail), musée de Rouen.

Le Groupe des Six : de gauche à droite : D. MILHAUD, A. HONEGGER, L. DURREY, G. TAILLEFERRE, F. POULENC et G. AURIC. Au fond, J. COCTEAU.

b. Milhaud (1892-1974)

Darius MILHAUD a beaucoup écrit. Son origine provençale, son ascendance juive, ses séjours en Amérique expliquent les orientations de son inspiration. Il harmonise des *Prières journalières à l'usage des Juifs du Comtat venaissin*. Ses opéras voient les feux de la rampe, entre autres : *Esther de Carpentras* (1925), *Christophe Colomb* (1928), livret de CLAUDEL, *Maximilien* (1930), *Bolivar* (1942), *David* (1952-1953). Il collabore encore avec CLAUDEL pour *L'Orestie*, trilogie d'après ESCHYLE. Intéressé par le jazz, il en stylise quelques éléments dans diverses partitions : *Le Bœuf sur le toit* (1919), *La*

Création du monde (ballet, 1923)[17], *Le Train bleu* (1924), *Salade* (1924), *Scaramouche* (1937). Chaque année paraissent plusieurs œuvres nouvelles, témoins d'une imagination fertile, d'une grande richesse d'invention et d'une étonnante polytonalité, parfois âpre, mais qui n'exclut pas le lyrisme.

c. Poulenc (1899-1963)

Spontanéité et vivacité semblent les caractères dominants de la musique de Francis POULENC, qu'il s'agisse du *Concert champêtre* (1928), du ballet *Les Animaux modèles* (1942), de l'opéra-bouffe *Les Mamelles de Tirésias* (1944), livret de Guillaume APOLLINAIRE, ou de mélodies qui dénotent un don exceptionnel. Mais ce compositeur sait aussi traduire avec puissance un drame poignant (*Dialogue des Carmélites*, 1956[18], d'après BERNANOS ; *La Voix humaine*, 1958, de COCTEAU) ou une émotion d'essence religieuse (*Stabat Mater*, 1950).

17. Rideau de scène peint par Fernand LÉGER pour *La Création du monde* de Darius MILHAUD.

18. *Le Dialogue des Carmélites*, de Francis POULENC, interprété à l'Opéra de Paris en 1957.

d. Auric (1899-1983)

Élève aux conservatoires de Montpellier puis de Paris et à la Schola cantorum, Georges AURIC se lie d'amitié avec HONEGGER et MILHAUD et admire SATIE, STRAVINSKI, CHABRIER. En 1919, COCTEAU lui dédie *Le Coq et l'Arlequin*. Il compose des ballets (*Les Fâcheux*, 1924), de la musique de scène, une quarantaine de partitions pour le cinéma, sur des scénarios de COCTEAU surtout *(La Belle et la Bête*, 1946 ; *Les Parents terribles*, 1946 ; *Orphée*, 1950), des œuvres symphoniques, de la musique de chambre, des mélodies. D'une inlassable curiosité, au courant des innovations de son époque dans tous les arts, AURIC allie la clarté à l'élégance de l'écriture.

2. L'ÉCOLE D'ARCUEIL

Elle succède au Groupe des Six, dont les membres poursuivent séparément leur carrière, et rassemble autour de SATIE : Henri CLIQUET-PLEYEL, Roger DÉSORMIÈRE, qui fait une carrière de chef d'orchestre, Maxime JACOB, entré au monastère bénédictin d'En Calcat, et Henri SAUGUET, qui s'intéresse à tous les genres et a composé de nombreuses musiques de scène et de cinéma.

3. LE GROUPE JEUNE FRANCE

Plus solidement constitué, le groupe Jeune France, fondé en 1936 par Yves BAUDRIER avec DANIEL-LESUR, André JOLIVET et Olivier MESSIAEN, souhaite un retour à une musique humaine, expressive.

a. Jolivet (né en 1905)

Élève de Paul LE FLEM, qui lui fait connaître les classiques, puis de VARÈSE, qui l'oriente vers une musique atonale, incantatoire, aux timbres surprenants, André JOLIVET compose *Mana* (1935), *Cosmogonie* (1938), *Les Danses rituelles* (1939). Les Viennois et BARTÓK l'influencent également. Après la guerre de 1940, son langage se simplifie afin d'être mieux compris des auditeurs (*Trois Complaintes du soldat*, 1940). Sa *Première sonate pour piano* (1945), dédiée à BARTÓK, amalgame les acquis des périodes précédentes. Original dans son écriture, qui s'appuie sur des notes pivots, des accords clés, il intègre des sons inattendus (*Concerto pour ondes Martenot*, 1947) et même des bruits, se montrant ainsi un précurseur.

b. Messiaen (né en 1908)

Élève au Conservatoire de Paris de 1919 à 1930, dans les classes de Maurice EMMANUEL pour l'histoire de la musique,

Paul LE FLEM a été très influencé par la musique populaire bretonne et par l'œuvre de DEBUSSY et de D'INDY.

19. Messiaen et Yvonne Loriod
enregistrant des chants d'oiseaux.

Marcel DUPRÉ pour l'orgue, Paul DUKAS pour la composition, Olivier MESSIAEN n'obtient pas le prix de Rome. Il élargit ses connaissances par l'étude des rythmes de l'Inde, de la Grèce ancienne, du chant grégorien, s'intéresse à la rythmique de DEBUSSY et de STRAVINSKI et expose ses théories dans la *Technique de mon langage musical* (1944), complété par un *Traité du rythme* (1954). Il fait carrière au Conservatoire de Paris en qualité de professeur d'harmonie (1942), d'analyse, d'esthétique et de rythme (1947), puis de composition (1966), d'où sortira une pléiade de jeunes artistes d'avant-garde : Yvonne LORIOD[19], qu'il épouse en 1962, Pierre BOULEZ, STOCKHAUSEN, Pierre HENRY, Gilbert AMY, Iannis XENAKIS. Parallèlement, de 1947 à 1963, il donne des cours en Hongrie, en Allemagne, aux États-Unis et en Argentine. Lors de ses voyages, dans le monde entier, il note des chants d'oiseaux qu'il transpose dans plusieurs de ses œuvres.

Organiste à l'église de la Trinité, à Paris, depuis 1931, il trouve son inspiration dans les textes de l'Écriture Sainte : *Visions de l'Amen* pour deux pianos (1943) ; *Trois petites liturgies de la présence divine* pour piano, ondes Martenot, chœur de femmes et orchestre (1943-1944) ; *Vingt regards sur l'enfant*

Jésus, cycle pianistique (1944) ; *Messe de la Pentecôte* pour orgue (1950) ; *Livre d'orgue* (1951) ; *Couleurs de la cité céleste* (1963) ; *Et exspecto resurrectionem mortuorum* (1964) ; *La Transfiguration de Notre-Seigneur Jésus-Christ*, oratorio (1969) ; *Méditation sur le mystère de la sainte Trinité* (1972) ; *Saint François d'Assise* (Opéra de Paris, 1983) ; *Livre du Saint-Sacrement* (1986). Le mythe de Tristan et Yseult donne naissance à trois œuvres : *Turangalila-symphonie* en dix mouvements (1946-1948), *Cinq rechant*s pour douze voix mixtes (1949), *Harawi* pour chant et piano (1945). Les chants d'oiseaux apparaissent dans de nombreuses pages : le *Réveil des oiseaux* (1953), les *Oiseaux exotiques* (1956), le *Catalogue d'oiseaux* (1956-1958).

Dès les débuts de son activité créatrice, Messiaen cherche à relier sons et couleurs (*Huit prélude*s pour piano, 1929). Trente

20. Messiaen, quelques mesures de *La Ville d'en haut*, 1987.

années plus tard, il exprime le rapport couleurs-durées dans *Chronochromie* (pour orchestre, 1960)[20]. Chef de file de sa génération, il ouvre, dans les domaines de la mélodie, du rythme, de la couleur orchestrale, des voies nouvelles, encore incomplètement explorées et riches d'avenir.

E. LES ÉCOLES NATIONALES

La plupart des pays tentent de se dégager d'une emprise trop exclusive de la musique d'Europe occidentale par une meilleure connaissance des traditions locales et l'intégration du folklore dans les œuvres.

1. ITALIE

L'opposition au vérisme s'exprime avec Otto RESPIGHI (1879-1936) qui, après avoir étudié dans son pays natal, travaille avec RIMSKI-KORSAKOV à Saint-Pétersbourg et Max BRUCH à Berlin. Profondément marqué par STRAUSS et DEBUSSY, il tente d'unir rutilance de l'orchestre et intériorité de la modalité. Ildebrando PIZETTI (1880-1968) revient aux traditions italiennes. Gian-Franco MALIPIERO (1882-1973), violent opposant au vérisme, redécouvre les maîtres anciens. Alfredo CASELLA (1883-1947) cherche à transformer le goût du public par des conférences et des concerts.

La jeune école italienne, pleine de vigueur et de richesse, compte de nombreux représentants. Luigi DALLAPICCOLA (1904-1975) se frotte au dodécaphonisme (*Vol de nuit*, opéra, 1937-1939 ; *Le Prisonnier*, opéra, 1944-1948 ; *Job*, représentation sacrée, 1950 ; *Canti di liberazione*, 1955 ; *Concerto pour la nuit de Noël*, orchestre de chambre et soprano, 1956). Gian-Carlo MENOTTI qui vit en Amérique, cherche à introduire au théâtre la rapidité de l'art cinématographique et choisit ses sujets dans la vie contemporaine, souvent même la plus réaliste (*Le Médium*, 1946 ; *Le Téléphone*, 1947 ; *Le Consul*, 1950).

2. ESPAGNE

Assez silencieuse depuis l'époque de la Renaissance, l'Espagne, revenant à son folklore très caractéristique, reprend peu à peu sa place, à la fin du XIXᵉ siècle.

Né en Andalousie, Manuel DE FALLA (1876-1946) séjourne à Paris de 1907 à 1914, après ses études au Conservatoire de Madrid. La fréquentation de DUKAS, RAVEL, SCHMITT, ALBENIZ, STRAVINSKI – et surtout la découverte d'*Iberia* de DEBUSSY – infléchissent ses conceptions. En 1939, il se rend en Argentine pour un concert et y demeure jusqu'à la fin de sa vie.

Sa première œuvre connue, *La Vie brève* (1906) présente encore les qualités et les défauts du vérisme. Mais lorsqu'il retourne en Espagne après ses années parisiennes, il compose ses meilleures partitions, très imprégnées d'éléments du folklore andalou : ornements mélismatiques autour d'une note principale, rythmes obsessionnels. Paraissent successivement *Sept chansons populaires espagnoles* (1912-1915), *L'Amour sorcier* (ballet, 1915), *Le Tricorne* (ballet, 1917), *Nuits dans les jardins d'Espagne* (1909-1916). Du néoclassicisme français, il garde le dépouillement et la clarté d'écriture qui correspondent à son mysticisme de plus en plus ascétique : *Les Tréteaux de Maître Pierre* (1922) pour orchestre de chambre, le *Concerto pour clavecin et cinq instruments* (1923-1926) aux sonorités âpres.

3. RUSSIE

a. Scriabine (1871-1915)

Postromantique, Alexandre SCRIABINE subit l'influence de CHOPIN, puis de LISZT et de WAGNER. Le *Poème de l'extase* (1907) marque une étape dans l'expression d'une originalité liée à ses conceptions philosophiques. Avec *Prométhée* (1910), il parvient à élaborer toute une œuvre sur ce qu'il appelle « l'accord synthétique »[21] (cinq quartes superposées) et la gamme qui y correspond. Il se place ainsi audacieusement à l'avant-garde des novateurs.

21. SCRIABINE, accord synthétique de *Prométhée* et gamme qui en découle

b. Prokofiev (1891-1953)

D'un tempérament totalement opposé à celui de SCRIABINE, Serge PROKOFIEV n'a rien d'un romantique mais il penche vers le néoclassicisme et le modernisme. Il vit en Russie[22] jusqu'en 1918, se rend aux États-Unis, habite Paris de 1923 à 1932, puis retourne définitivement dans son pays natal. Ses premières œuvres manifestent une prédilection pour la polytonalité, les accords véhéments, une dynamique violente. Il tempère ensuite cette brutalité par l'humour, l'ironie, le lyrisme (*Le Joueur*, opéra, 1916 ; *L'Amour des trois oranges*, opéra, 1919). Sa *Symphonie classique* (1917) traduit son attirance pour les structures traditionnelles ; de même, son ballet *Le Fils prodigue* (1928), créé par les Ballets russes, ou son *Cinquième concerto*

22. CHAGALL, *Le Musicien*, détail, 1912, Amsterdam, Stedelijk Museum.

CHAGALL, ce baladin du monde oriental, a su évoquer dans sa peinture la musique de la Russie venue du fond des âges.

23. Photo extraite du film d'Eisenstein *Ivan le Terrible*, 1944, avec une musique de Prokofiev.

pour piano (1932). De retour en URSS, il laisse son lyrisme naturel s'épancher dans des œuvres plus proches du public[23] : *Pierre et le loup* (1936), *Roméo et Juliette* (ballet, 1935-1936), *Alexandre Nevski* (cantate, 1938-1939), *Guerre et Paix* (opéra, 1941-1952).

c. Chostakovitch (1906-1975)

Après de brillantes études au Conservatoire de Saint-Pétersbourg, Dimitri Chostakovitch entame une féconde carrière de compositeur soviétique, ponctuée de nombreuses récompenses. Il enseigne au conservatoire de sa ville natale jusqu'en 1948 et à celui de Moscou de 1943 à 1948. À l'époque de ses débuts, il connaît les œuvres des novateurs occidentaux encore jouées ou représentées en URSS et ses premières compositions, *Le Nez* (opéra d'après Gogol, 1927-1928) ou *Lady Macbeth de Mtsensk* (1930-1932) suscitent des critiques. Malgré ses efforts pour rester dans la ligne imposée, ses treize symphonies, souvent liées cependant à des événements nationaux, ne sont pas toutes bien accueillies. Sauf la musique religieuse, bannie de son pays à cette époque, il illustre tous les genres. Connu de son vivant à l'étranger – où jaillissent des orientations nouvelles –, il s'inscrit plutôt dans la lignée des traditionnalistes.

4. Roumanie

Grâce au musicologue Constantin Braïloïu (1893-1952), la Roumanie prend conscience de la très grande richesse de son folklore.

Admirateur des grands musiciens allemands, son contemporain Georges Enesco (1881-1955) vient à Paris en 1895 et poursuit ses études de violon et d'écriture avec Massenet puis

Fauré. Il fait ensuite une carrière de violoniste et de compositeur. La richesse de la polyphonie et l'introduction d'éléments du folklore roumain caractérisent son style toujours très lyrique. Son opéra *Œdipe* (1936) en constitue le meilleur exemple.

5. Angleterre

De tempérament romantique, Edward Elgar (1857-1934) participe au renouveau de l'école anglaise par la qualité de sa production, mais Ralph-Vaughan William (1872-1957) en apparaît comme le représentant le plus marquant. Il séjourne à Berlin et à Paris mais il ne semble pas touché par les nouveautés étrangères. Le folklore et la polyphonie anglaise de la Renaissance constituent les éléments de base de ses œuvres et, particulièrement, de ses cinq symphonies écrites de 1910 à 1947.

24. Nicolas de Staël, *Les Musiciens* (souvenir de Sidney Bechet), 1953.

F. LES ÉCHANGES

Au XXᵉ siècle, le continent américain ne peut guère se prévaloir de compositeurs révolutionnaires. En Amérique du Sud, ils amalgament divers styles importés, avec des formes populaires nationales (VILLA-LOBOS au Brésil).

Sans long passé culturel, les États-Unis se tournent vers l'Europe. Éventuellement, le Conservatoire américain de Fontainebleau, fondé en 1921, où Nadia BOULANGER (1887-1979) assure les classes d'écriture, les accueille. Très bons compositeurs, Aaron COPLAND, Eliott CARTER, Léonard BERNSTEIN, Virgil THOMSON, Samuel BARBER ne sont guère joués en Europe. Charles IVES (1874-1954) recherche des effets pianistiques et sa technique du piano préparé ne laisse pas indifférents John CAGE et certains musiciens étrangers.

Mais la contribution la plus riche des États-Unis à la musique européenne vient des populations noires.

Après avoir étudié le piano, la composition, l'orchestration, la direction d'orchestre à Harvard, puis à Philadelphie, Léonard BERNSTEIN fait une carrière internationale comme pianiste et chef d'orchestre. Il a dirigé le New York Philharmonic Orchestra de 1958 à 1970. Parmi ses œuvres, *West Side Story* (1957) a obtenu un succès mondial.

1. APPORTS AFRO-AMÉRICAINS

a. Le negro spiritual

Ce chant collectif de caractère religieux, imaginé par les anciens esclaves noirs, mêle des **mélismes** et des rythmes africains à une psalmodie issue parfois des chorals, sous l'influence des missionnaires protestants.

À la différence du **negro spiritual,** qui s'appuie sur l'Ancien Testament, le **gospel** s'inspire du Nouveau Testament.

b. Le jazz

Création originale, postérieure à celle du **negro spiritual**, le **jazz** fait la synthèse des traditions d'Afrique occidentale, apportées il y a plusieurs siècles par les esclaves, et de celles de l'Europe, importées en Amérique du Nord. Sur une harmonie facile s'intègrent des mélismes africains. Découvert par l'Europe en 1918, à la fin de la guerre mondiale, il séduit rapidement les jeunes publics, presque jusqu'à l'hystérie collective, par la frénésie hallucinante de l'exécution (style **hot**), le climat tendu qu'il crée, avec le balancement continuel entre tension rythmique et détente (**swing**), la simplicité primitive et l'efficacité quasi incantatoire de ses accents. S'il utilise en majorité le matériel de l'orchestre traditionnel, il accorde toutefois une écrasante primauté aux instruments à vent et à la batterie et laisse, dans le **blues**, une large part à l'improvisation.

Des virtuoses, comme les trompettistes Louis ARMSTRONG[25], Bill COLEMAN, Dizzy GILLESPIE, le saxophoniste et clarinettiste

25. Louis ARMSTRONG

Sidney Béchet[24], le trombone Dicky Wells, les pianistes Duke Ellington, Art Tatum, Count Basie, le guitariste Django Reinhardt, les chanteuses Ella Fitzegerald[26], Sarah Vaughan jouissent d'une réputation mondiale. L'Américain George Gershwin (1898-1937) a tenté, dans des œuvres conçues pour un orchestre symphonique classique (*Rapsody in Blue*, *Un Américain à Paris* et l'opéra *Porgy and Bess*), d'exploiter certains éléments du jazz, comme d'ailleurs quelques compositeurs européens.

Vers le milieu du siècle se dessine un renouvellement du jazz, qui devient plus complexe. Au **Be Bop** succède le **cool**, plus libre de structure et de tonalité. Le **Free Jazz** apparaît vers 1960. À la même époque naît le **Rock'n'roll**, variété de jazz vocal, de caractère dansant. Durant quelque temps, le **folk**, inspiré par le folklore, supplante le **rock**, qui retrouve sa faveur avec les Beatles. Mais le **hard rock** (rock dur), plus violent, devient très populaire.

26. Ella Fitzgerald.

2. Les Ballets russes

L'association musique-danse, présente dès les premiers âges de l'homme, accompagne les rites profanes ou sacrés, liés à des cultes. Mais le ballet ne prend véritablement son essor qu'à la fin du XVIe siècle, sous la forme du ballet de cour qui triomphe en France comme en Italie au XVIIe siècle mais reste un divertissement plutôt mimé que dansé. Au siècle suivant, lorsque le ballet s'introduit dans le théâtre ou constitue à lui seul un spectacle, des musiciens connus n'hésitent pas à écrire des partitions et les danseurs professionnels développent leur technique. Le ballet romantique s'oriente plutôt vers la féerie. *La Sylphide* et *Giselle* ou *Les Willis* d'Adolphe Adam (1841) figurent toujours au répertoire de l'Opéra, de même que les ballets de Léo Delibes (1836-1891), *Coppelia ou la Fille aux yeux d'émail* et *Sylvia* (1876).

La notoriété de la danse française incite les Russes à appeler le marseillais Marius PETIPA en qualité de professeur, puis de maître de ballet, au théâtre impérial de Saint-Pétersbourg (1858). La fusion de l'esthétique académique française avec le style de la pantomime apporté par les danseurs italiens qu'il engage et sa collaboration avec TCHAÏKOVSKI lui permettent de créer avec grand succès *La Belle au Bois dormant* (1890), *Casse-Noisette* (1892), *Le Lac des cygnes* (1895).

27. Dessin de PICASSO pour la couverture des programmes des Ballets russes, XIVᵉ saison, mai 1921.

Après le règne du chorégraphe Marius PETIPA, le renouvellement du ballet en Europe vient de Russie, avec la troupe que forme Serge DE DIAGHILEV, organisateur de spectacles, en rassemblant les meilleurs artistes du théâtre impérial : NIJINSKI et sa sœur, FOKINE, PAVLOVA, KARSAVINA, Ida RUBINSTEIN entre autres. Elle obtient un très grand succès à Paris, au théâtre du Châtelet, en 1909, avec *Le Pavillon d'Armide*, *Le Prince Igor*, *Cléopâtre*, et l'année suivante avec *Shéhérazade* (RIMSKI-KORSAKOV), *Carnaval* (SCHUMANN), *L'Oiseau de feu* (STRAVINSKI), *Giselle* (ADAM).

Devant cette remarquable réussite, DIAGHILEV fonde sa propre compagnie sous le nom de Ballets russes, en 1911. Commence alors, avant la Première Guerre mondiale, une très

28. NIJINSKY dans *Daphnis et Chloé* de RAVEL.

grande période de créations : *Petrouchka* (STRAVINSKI), *Le Spectre de la rose* (WEBER), *Le Lac des cygnes* (d'après TCHAÏKOVSKI) en 1911 ; *L'Après-midi d'un faune* (DEBUSSY) et *Daphnis et Chloé* (RAVEL) en 1912[28] ; *Le Sacre du printemps* (STRAVINSKI), *Jeux* (DEBUSSY) en 1913. DIAGHILEV s'adresse aux meilleurs musiciens (FALLA, PROKOFIEV, SATIE, POULENC, HINDEMITH, MILHAUD, AURIC), aux plus grands peintres (UTRILLO, PICASSO[27], ROUAULT, DERAIN, BRAQUE, MATISSE), associant tous les arts. La troupe donne ensuite des représentations à Rome, à Londres, à Monte-Carlo, fait des tournées en Amérique. Elle suscite la formation de nombreuses compagnies[29] qui, à leur tour, enrichissent la danse de techniques nouvelles.

29. *La Belle au bois dormant* de TCHAÏKOVSKI par le ballet du marquis DE CUEVAS, 1960.

CHAPITRE X

Les problématiques contemporaines

ARMAN, *Chopin's Waterloo*, 1962, Paris, musée national d'art moderne.

Après la Seconde Guerre mondiale, qui marque une rupture avec les traditionnalismes plus ou moins rénovés, les multiples orientations apparues depuis le début du siècle se précisent. Alimentée aux sources de l'art populaire et des arts primitifs, l'abstraction, courant dominant, refuse l'héritage de l'Occident classique et s'internationalise.

En France, ARMAN, CÉSAR, TINGUELY, influencés par le Pop'art américain, assemblent des matériaux de rebut. Nicolas SCHÖFFER[1] propose des créations où science et technique interviennent. Ses moyens d'expression sont la lumière électrique et le mouvement, souvent associé à l'environnement. Combiné avec la musique et la danse, le *cinétisme* transforme le décor de la vie en art éphémère.

Comme les arts plastiques[3,4], la musique cherche des voies nouvelles[5], se dote d'éléments sonores jusqu'alors écartés, qu'elle modifie et organise, s'appuie sur les énormes progrès de l'électro-acoustique, relevant autant de l'ingénieur que du musicien.

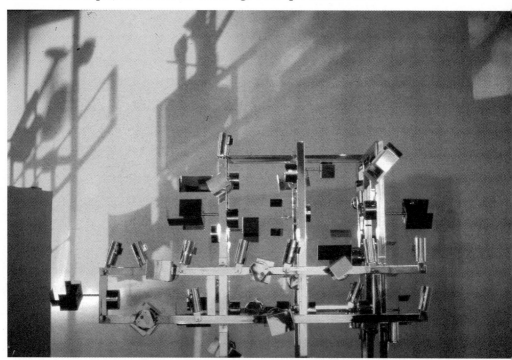

1. Nicolas SCHÖFFER, dispositif « luminodynamique » aux mouvements et éclairages programmés, Paris, Mnam.

A. ÉLARGISSEMENT DU MONDE SONORE

À chaque époque, les compositeurs de tendance traditionnelle cherchent à enrichir leur palette. Henri DUTILLEUX, comme Marius CONSTANT, aime les alliages de timbres inattendus. Maurice OHANA élargit son écriture aux micro-intervalles (tiers et quarts de ton) liés à l'utilisation de la série. Charles CHAYNES fait des rapprochements instrumentaux insolites.

Brusquement, après la Seconde Guerre mondiale, la musique sérielle prend son envol, confortée par les cours d'été de Darmstadt et le prosélytisme de René LEIBOVITZ (1913-1972), élève de SCHOENBERG et de WEBERN. Mais cette fièvre s'apaisera bientôt.

Au début du siècle, en Italie, sous l'influence du mouvement futuriste, Luis RUSSOLO, considérant que son et bruit ne s'opposent pas, envisage la possibilité d'utiliser les bruits innombrables créés par la civilisation industrielle. La voie s'ouvre ainsi à la musique concrète et à l'électro-acoustique.

1. VARÈSE (1883-1965)

L'un des précurseurs de cette expérimentation, le compositeur franco-américain Edgard VARÈSE mêle à l'orchestre classique des bruits (*Amériques*, 1918-1921, avec deux sirènes ; *Hyperprism*, 1923, avec sirènes et tambour à corde ; *Ionisation*[2],

2. Edgar VARÈSE, *Ionisation*, pour 37 instruments à percussion, premières mesures.

1931, pour percussions, sirènes, enclumes, tambour à corde ; *Déserts*, 1954, pour orchestre à vents, piano, cinq percussions et introduction de son enregistré sur bande magnétique). Chargé de construire un pavillon à l'Exposition de Bruxelles en 1958, l'architecte LE CORBUSIER s'assure la collaboration de Iannis XENAKIS et de VARÈSE ; *le Poème électronique* utilise 400 sources sonores et réalise le souhait ancien de VARÈSE : remplir l'espace par un volume sonore.

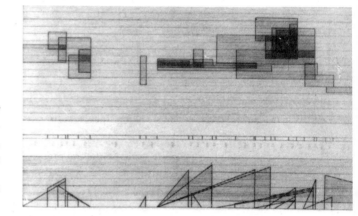

3. Karlheinz STOCKHAUSEN, *Studie II*, pour musique électronique.

À l'époque moderne, la notation de quelques musiciens rejoint parfois les formes abstraites de certains peintres. On observe ainsi de curieuses ressemblances.

4. Victor VASARELY, *Siris II*, vers 1954, galerie Denise RENÉ, Paris.

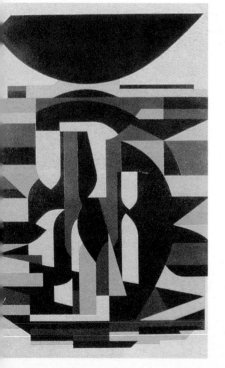

2. SCHAEFFER ET HENRY

Pour Pierre SCHAEFFER, polytechnicien, le bruit ne diffère pas du son. En 1948, dans son studio de la RTF, il enregistre des bruits divers, qu'il organise, et fait ses premiers essais (*Études aux chemins de fer*, *Aux casseroles*...). L'année suivante, le compositeur Pierre HENRY le rejoint et de leur collaboration naît la *Symphonie pour un homme seul*, première illustration très réussie de la musique concrète. À la même époque, on sait utiliser des sons transposés à des vitesses différentes, ce qui en modifie la hauteur et le timbre. En 1951, SCHAEFFER et HENRY fondent le **Groupe de Recherches de musique concrète**. L'année suivante, Pierre BOULEZ s'y joint et élabore *Étude sur un son*. Son maître MESSIAEN compose *Timbres Durées*. Puis les fondateurs du groupe prennent chacun des voies quelque peu différentes. SCHAEFFER, qui a quitté la radio, approfondissant ses réflexions, fait paraître son *Traité des objets musicaux* (1964). Pierre HENRY crée son propre studio. BOULEZ fonde les concerts du **Domaine musical** (1954-1973), enseigne à l'étranger, à Bâle, aux États-Unis, dirige l'orchestre de la BBC puis l'orchestre philharmonique de New York et la *Tétralogie* à Bayreuth et, à la demande de Georges POMPIDOU, organise l'IRCAM (Institut de recherche et de coordination acoustique musique) en 1975. Compositeur et théoricien, il a présenté l'essentiel de ses réflexions dans divers ouvrages : *Penser la musique d'aujourd'hui* (1963), *Relevés d'apprenti* (1966), *Par volonté et par hasard* (1975), *Points de repère* (1981).

B. LA MÉMORISATION DES ŒUVRES

De tout temps, l'homme a désiré conserver des traces de ses œuvres. Grâce à l'imprimerie, les textes littéraires, puis la musique écrite, furent à la disposition de chacun. La photographie, plus récemment, sauva bien des œuvres de l'oubli. L'invention du phonographe et du disque permit enfin la reproduction sonore de l'œuvre musicale. Les studios d'enregistrement se sont dotés des dernières inventions. Rapidement, les perfectionnements se succèdent : cassette, video-cassette, disque laser ; ils sont d'autant plus utiles pour la musique électro-acoustique que la lecture de sa notation nécessite des spécialistes.

5. Musique aléatoire, Partition d'*Archipel 1* de Boucourechliev, 1972.

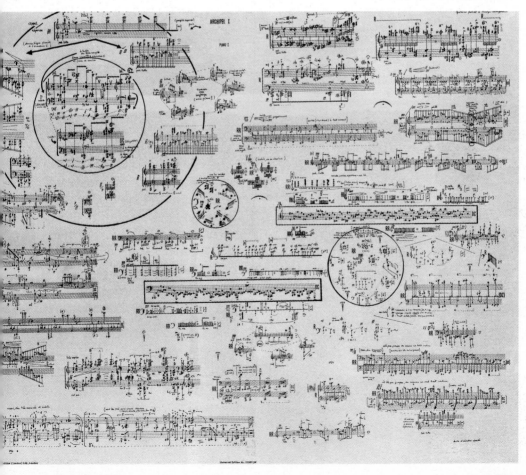

C. **LA SYNTHÈSE DES ARTS**

1. LE CINÉMA

Depuis l'invention du cinéma, la musique a toujours eu une place dans les salles. Au temps du cinéma muet, il fallait meubler le silence par l'exécution de pages appropriées, issues d'œuvres diverses déjà existantes, par un orchestre plus ou moins réduit.

Le cinéma parlant permettant d'enregistrer image et son, une partition originale – dans l'esprit du scénario – accompagne le film. Un genre nouveau, que ne dédaignent pas les compositeurs, fait son apparition.

2. LA CHANSON

Le temps n'est plus où les chanteurs populaires s'installaient aux carrefours, attirant les passants, et même pénétraient dans les cours d'immeubles, espérant une obole. À notre époque, ils chantent dans des salles[6], devant un public nombreux. Leur répertoire varié englobe tous les genres, mais la prédilection des jeunes va plutôt au rock, ou à la variété-spectacle, qui comporte une troupe de danseurs et nécessite un accompagnement le plus sonore possible[7].

6. Georges BRASSENS.

7. Johnny HALLIDAY, sur scène pendant un spectacle.

Mais on voit également des orchestres volants s'installer sur les places de nos villes et dans les couloirs du métro. De même que la musique sort parfois des salles de concert, certains artistes plasticiens délaissent les musées. Par exemple, CHRISTO emballe le Pont Neuf à Paris et les adeptes du *Land art* travaillent sur la nature elle-même et la modifient.

8. Jean-Michel JARRE, concert du 14 juillet 1990 à la Défense.

3. LE SPECTACLE TOTAL

La mise en valeur d'un monument ou d'un site par un spectacle son et lumière existe depuis de longues années. Mais, ces derniers temps, un autre objectif se fait jour :
– l'animation d'un quartier. Jean-Michel JARRE a présenté dans diverses villes du monde – en 1990, à La Défense, près de Paris[8] – son spectacle d'animation qui donne une impression d'irréalité et de mystère et a obtenu un énorme succès auprès des spectateurs présents et des auditeurs de la télévision.

De même Jean-Paul GOUDE propose une nouvelle idée pour le défilé du Bicentenaire de la Révolution en 1989 et Philippe DECOUFFLÉ associe tous les arts pour les fêtes des Jeux olympiques d'Alberville en 1992.

C'est sans doute dans cette voie d'union des arts progressivement développés chacun selon ses possibilités, et déjà présente au théâtre pour un public restreint, que se prépare l'avenir.

DUFY, *L'orchestre* (détail), coll. part.

APPENDICE

Classification des voix de l'aigu au grave

Voix de femmes :

1. Soprano :
   Soprano léger
   Soprano lyrique
   Soprano dramatique
2. Mezzo-soprano
3. Contralto

Voix d'hommes :

1. Ténor
2. Baryton
3. Basse

Les instruments de l'orchestre

L'orchestre moderne date de l'époque romantique.

Instruments à cordes :

violons (premiers et seconds)
altos   *quatuor à cordes*
violoncelles   *(instruments à archet)*
contrebasses

harpe   *(instrument à cordes pincées)*

Instruments à vent :

1. Les bois :
   flûte (petite et grande)
   hautbois
   cor anglais
   clarinette
   basson

2. Les cuivres :
   trompette
   cor
   trombone
   tuba
   saxophone

Instruments à percussion :

1. à sonorité fixe et appréciable :
   timbales, jeux de cloches.
2. à sonorité indéterminée :
   castagnettes, triangle, cymbales, grosse caisse, gong.

Instruments à clavier, éventuellement adjoints à l'orchestre :

piano, clavecin, celesta, orgue.

Instruments électro-acoustiques :

ondes Martenot, orgue électronique ou synthétiseur, magnétophone multipistes porteur de sons de toutes natures, ordinateur.

INDEX DES PRINCIPAUX MUSICIENS CITÉS

SOMMAIRE

Crédits photographiques

Arch. Der Universal : 148-3.

Artephot : 18 (ph. Nimatallah) ; 61 ; 96.

Ashmolean Museum, Oxford : 37.

Bauhaus Archiv : 128 (D.R.).

Bayerische Staatsbibliothek : 26.

Bernand : 102 ; 123 ; 129 ; 144.

B.N. : 39 ; 52 ; 67 ; 122.

B.N. / Bibliothèque de l'Opéra : 69 ; 70 ; 88 ; 93 ; 94 ; 100 ; 105 ; 112 ; 130, © SPADEM ; 133-17, © SPADEM 147 ; 149.

Bulloz : 16-4 ; 19 ; 33.

Centre Georges Pompidou : 117-1, © SPADEM ; 117-2 (ph. Béatrice Hatala), © ADAGP ; 125 (ph. Béatrice Hatala) D.R. ; 140 (ph. MNAM), © ADAGP ; 145 (ph. MNAM), © ADAGP ; 146 (ph. Béatrice Hatala), © ADAGP 148-4, © ADAGP.

J.-L. Charmet : 47.

Coll. **Christophe L** : 139.

D.R. : 124 ; 143-27, © SPADEM.

Gamma : 151.

Giraudon : 12 ; 48 (ph. Lauros-Giraudon) ; 50 (ph. B.N.) ; 55 (coll. Bildarchiv Preussischer Kulturbesitz) ; 7? (ph. Bridgeman-Giraudon) 78 ; 81 ; 116, © ADAGP ; 138, © ADAGP ; 152, © SPADEM.

Hachette : 11 (ph. Guy Richard - Photothèque musée de l'homme) ; 14 (ph. B.N.) ; 16-5 ; 17 ; 20-2 ; 20-? (ph. Anderson-Viollet) ; 22 (ph. B.N.) ; 24 ; 30 ; 31 ; 33 (ph. Bulloz) ; 35 ; 41 (ph. B.N.) ; 42 ; 60 ; 63 ; 65 ; 66 ; 7? (ph. Bruckmann) ; 75 (ph. B.N.) ; 76 (ph. Giraudon) ; 83 ; 85 (ph. Archives photographiques) ; 91-1 ; 92 ; 10? (ph. Jean Bottin) ; 103 (D.R.) ; 104 ; 106 (Archives photographiques) ; 107 (ph. B.N.) ; 110 (ph. Braun) ; 13? (ph. Ellebé), © SPADEM ; 133-18 (ph. Bernand), © SPADEM ; 143-28 (B.N.), © SPADEM.

Leduc : 136 ; 149.

J.-P. Leloir : 141 ; 142 ; 150.

Mali : 135 (D.R.).

Musée instrumental du CNSMD/P : 46 (ph. Publimages) ; 62.

National Gallery : 38.

Philadelphia museum of Art : couverture, © SPADEM.

Ricordi ed. / BMI : 147.

R.M.N. : 23 ; 34 ; 68 ; 90 ; 91-2 ; 121 ; 131, © SPADEM.

Roger-Viollet : 59 ; 74 (coll. Viollet) ; 77 (coll. Viollet) ; 80 (coll. Viollet) ; 87 (coll. Viollet) ; 97 (ph. Lapi-Viollet) ; 9? (coll. Viollet).

Succession Henri Matisse : 118.

Universal édition : 126 ; 149.

Ville de Paris - SOAE : 109 (ph. Emmanuel Michot, Jean-Claude Loty).

Zodiaque : 13.

Imprimé en France par I.M.E. - 25110 Baume-les-Dames
Dépôt légal n° 8152 - 04/1992
Collection n° 29 - Edition n° 01
12/4960/6